L'Inspecteur Specteur et la planète Nète

Du même auteur :

L'Inspecteur Specteur et le doigt mort, Les Éditions des Intouchables, 1998

GHISLAIN **TASCHEREAU**

L'Inspecteur Specteur et la planète Nète

LES INTOUCHABLES

Les Éditions des Intouchables bénéficient
du soutien financier de la SODEC, du PADIÉ
et sont inscrites au Programme de subvention globale
du Conseil des Arts du Canada.

LES ÉDITIONS DES INTOUCHABLES
4649, rue Garnier
Montréal, Québec
H2J 3S6
Téléphone : (514) 992-7533
Télécopieur : (514) 529-7780
intouchables@yahoo.com

DISTRIBUTION : DIFFUSION DIMEDIA
539, boulevard Lebeau
Saint-Laurent, Québec
H4N 1S2
Téléphone : (514) 336-3941
Télécopieur : (514) 331-3916

Impression : Quebecor
Infographie : Yolande Martel
Illustration de la couverture : www.photodisc.com
Maquette de la couverture : Stéphanie Hauschild

Dépôt légal : 1999
Bibliothèque nationale du Québec
Bibliothèque nationale du Canada

ISBN 2-921775-85-9

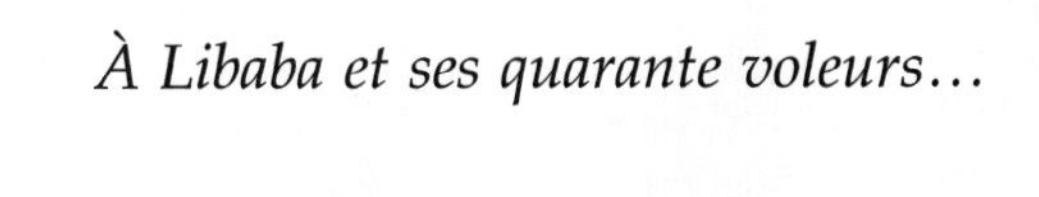
À Libaba et ses quarante voleurs…

« Hic liber me delectat,
quasi primum legam. »

ALIQUIS

« Si l'homme
descend du singe,
un jour, peut-être
lui arrivera-t-il
à la cheville. »

LUDGER

PROLOGUE

À Capit, capitale de la Friande, rien n'a changé. Le Grand Nain, la plus grande merveille architecturale qui existe, la plus haute statue-building multiservices au monde, trône toujours, du haut de ses deux cents mètres, au-dessus des Capitois et Capitoises.

L'inspecteur Specteur est toujours le meilleur inspecteur de police au monde. Il manie toujours aussi bien son calibre .666 et porte toujours cette bague qu'il peut localiser, partout sur la planète, simplement en y pensant. Il fréquente toujours la Taverne Occulte, débit de boissons réservé aux suppôts de Satan, et il faut toujours cracher dans la Bible à l'entrée pour pouvoir y pénétrer.

À Capit, rien n'a changé. Mais tout peut changer.

UN

L'inspecteur Specteur était assis à son bureau, totalement absorbé par son roman *Bourlequin.*

— Non, non ! Pas devant les trisomiques, je t'en prie !

En entendant ces mots, Craig recula d'un pas et tourna le dos. Shirley regrettait d'avoir été aussi brusque. D'un index amoureux, elle titilla le lobe d'une oreille de son fiancé pour se faire pardonner.

— Comprends-moi, mon amour : si les trisomiques te voient m'embrasser et me caresser, ils vont se croire tout permis et ils vont vouloir, eux aussi, m'embrasser, me caresser, et peut-être même essayeront-ils de s'y mettre à quatre ou cinq. Pire encore, ils risquent d'en parler aux autres préposés, et alors, adieu mon emploi.

— Je sais, soupira Craig, pardonne-moi. Mais l'amour que j'ai pour toi ignore ce monde perfide où le temps est de l'argent.

Ces paroles la touchèrent énormément. Comme il savait dire les mots ! Elle attaqua l'autre lobe et murmura :

— Je comprends, mon trésor, et c'est pour cela que je t'aime à la folie.

Sur ce, elle se pencha et, d'une main vigoureuse, continua sa besogne. Elle brossait le dos de l'un des trois trisomiques, tassés dans la baignoire, sous le regard attendri de Craig, qui décelait là un signe révélateur de l'instinct maternel.

— Tu sais, lui confia-t-elle, je rêve souvent que nous nous marions sur un bateau de croisière en plein cœur du Pacifique et que tu me fais trois beaux enfants don't l'un s'appelle Steve avec les cheveux bouclés.

Craig ricana doucement du fond de sa gorge chaude et humide.

— C'est fou, s'exclama-t-il, je me disais la même chose !

— Tu te disais mon rêve ? Quelle séduisante coïncidence !

Ils se regardèrent en soupirant de bonheur.

— Ça ne fait aucun doute, murmura Craig en se penchant contre l'oreille de Shirley, nous sommes faits l'un pour l'autre.

Elle le sentit insistant et dut le repousser.

— Je t'en prie, mon chéri, attends que ma journée de travail soit terminée. Nous pourrons alors nous aimer comme les dauphins aiment l'eau.

Une fois de plus, Craig était contrarié.

— Ces mongols ont beaucoup trop de pouvoir.

Compréhensive, Shirley essaya tout de même de le raisonner.

— Je sens ton inconfort, Craig, et j'ai bien réfléchi.

— Qu'est-ce que tu veux dire ? demanda Craig, intrigué.

— Je crois que tu ne devrais pas passer tes deux mois de vacances avec moi, ici, à mon travail. Cela va finir par te rendre cinglé et par miner notre amour, mon trésor.

Craig était bouleversé. Il n'en croyait pas ses oreilles. Comment se faisait-il qu'elle ne comprît pas que, s'il agissait ainsi, c'était par amour pour elle et pour la protéger de tous ces mongols ?

— J'essaie seulement d'être près de toi, ma chérie.

— Je sais…

Shirley sécha les trois trisomiques en souriant à son aimé et leur mit à chacun un pyjama jaune, rayé dans le sens de la longueur.

— Voilà ! s'exclama-t-elle avec joie, c'étaient les trois derniers ! Mes vingt-cinq bébés sont maintenant propres et prêts pour le dodo !

Craig consulta sa montre.

— Plus que quinze minutes, et nous serons enfin seuls…

— Oui, mon amour, lança Shirley en nettoyant la baignoire à l'aide d'une poudre à récurer.

Bruce, le cadet des trisomiques, s'avança vers Shirley en riant de toutes ses dents. Il avait l'air coquin. Craig l'observait, une main sur la bouche. Ce qu'il était marrant, ce Bruce! Le trisomique se tenait juste derrière Shirley. Il l'agrippa par les hanches, la fit basculer dans la baignoire et ouvrit le robinet d'eau chaude. Shirley poussa un « Ho! » qui pouvait ressembler à un cri de surprise ou de panique. Croyant sa fiancée en danger, Craig se jeta sur Bruce et l'éloigna de la baignoire.

— Ha! Ha! Ha! Non, laisse-le! rigola Shirley, Je n'ai rien! Je suis saine et sauve!

C'était trop tard. En reculant, Craig perdit pied et les deux hommes tombèrent. La tête de Bruce heurta le sol et il se mit à saigner abondamment. Soixante policiers se pointèrent à la vitesse de l'éclair.

— Vous avez le droit de garder le silence, mais tout ce que vous direz pourra être retenu contre vous! dit sévèrement l'un des policiers en fermant les menottes de métal brillant sur les poignets virils de Craig.

— Arrêtez! Sale brute! hurlait Shirley en versant toutes les larmes de son corps. Ce n'est pas sa faute! C'est un accident!

— Laissons les tribunaux en décider, ma bonne dame! lança sèchement le policier en poussant Craig dans le panier à salade.

— Je reviendrai, ma chérie! cria le prisonnier à sa bien aimée tandis que les flics le malmenaient en lui faisant mal partout.

— Je t'attendrai toute ma vie, mon amouuuuuur! pleura Shirley, à genoux sur le pavé, en regardant le camion s'éloigner vers l'horizon gris qui lui rappelait un quartier industriel de la banlieue de Londres.

Dans sa cellule, Craig n'arrivait pas à dormir. Il avait…

— Inspecteur Specteur !

— Quoi ? Qu'est-ce qu'il y a encore ? grogna Specteur en refermant son *Bourlequin*. Vous ne voyez pas que Craig est dans la merde ! ?

Le jeune officier, gâcheur de plaisir, était mal à l'aise.

— C'est que... on a fait une découverte plutôt macabre.

Spec fit semblant de réfléchir et lança :

— Non ! Ne me dites pas que vous avez surpris le commandant Mandant aux toilettes ?

Les joues gonflées, l'officier ravala une pouffée, puis tendit un papier à l'inspecteur.

— Tenez, c'est l'adresse. Le commandant et l'équipe du labo sont déjà sur place.

Specteur lut.

— Merde ! C'est à l'extérieur de Capit. Moi qui déteste la banlieue... Tant pis ! Le travail, c'est le boulot !

Sans crier gare, aéroport ou même port de mer, l'inspecteur Specteur sortit du commissariat, enfourcha la banquette de sa Renault 5 noire et fila en direction de la découverte dite macabre. Toutes vitres baissées, il admirait la résurrection végétale en laissant le vent se payer sa tête et les cent trente-huit cheveux qui y régnaient. La douce chaleur printanière halait les bourgeons et peignait les champs d'un vert vif et lustré. Qu'il faisait bon rouler sur le toit de l'enfer et observer les fantaisies pacifiques du compétiteur ! « Heureusement que Satan fait bouillir le centre de c'putain de planète, songea Spec, sans quoi la nature y serait beaucoup moins radieuse. »

Après avoir tourné sur la nationale 22, l'inspecteur aperçut une pancarte : « Bienvenue à Guille-aux-Mettelles, Royaume de la Pomiculture ». À peine cinquante mètres plus loin, le terme « royaume » prit tout son sens. La pomme devint reine de tout le paysage ; reine de tout. Les vergers cossus se serraient les uns contre les autres. Des pommiers en fleurs, à perte de vue, blanchissaient l'horizon ; coussin duveté où bondissait le temps. Ils se donnaient la branche, faisant fi des délimitations humaines. Les abeilles, les guêpes et les bourdons vrombissaient en témoignage d'honneur pour les humbles fleurs, gonflées de nectar, pures et prudes en surface, ouvertes et offertes sous leur voile d'hyménée.

Un coup de volant poussa la Renault sur la gauche. Specteur venait d'apercevoir un lièvre. En plein milieu de la chaussée. Un autre coup ramena la bagnole en ligne droite. « Floc ! Floc ! » Oui ! Il l'avait eu ! Des deux roues de gauche, en plus ! Dire que Spec avait failli louper le petit gibier à ressorts, aveuglé qu'il était par la splendeur du paysage.

Il roula encore un kilomètre ou deux et un policier, debout dans une entrée de cour, le héla. Specteur s'avança à sa hauteur[1].

— C'est ici ?

— Derrière la maison au bout de l'allée, inspecteur.

— Merci. Comment est le commandant Mandant ?

— Euh…, hésita le policier, qui préférait ne pas parler dans le dos de celui qui était, et pas seulement en poids, son supérieur.

— Allez, rassura Specteur, n'ayez crainte, vous pouvez tout me dire.

— Eh bien, il est pire que jamais.

— C'est ce que je pensais.

Derrière la maison en question se trouvait un bout de terre fraîchement labouré. Au beau milieu, une dizaine de personnes encerclaient quelque chose qui semblait bovinement intéressant. Seuls Mandant et ce qui devait être le pomiculteur se tenaient à l'écart. Sur le ventre, le nez dans la terre humide, le commandant porcin traçait des lignes et des courbes avec un bout de paille. Specteur se tint loin du gros engrais naturel. Il s'approcha plutôt du pomiculteur et lui parla discrètement.

— Vous êtes le propriétaire de l'endroit, je présume ?

— C'est exact.

---

1. Ce qui ne veut pas dire que les pneus de la Renault se sont retrouvés à la hauteur du képi du policier, ni l'inverse.

— Je me présente, mon nom est Specteur, inspecteur Specteur.

— Enchanté. Je m'appelle Paul de Reinette, dit le pomiculteur en broyant les jointures de Spec.

De Reinette était costaud. Sa chair de menhir semblait montée sur un châssis de bulldozer. Il n'était sûrement pas homme à pleurer pour un ongle cassé, même au niveau du coude.

— Le spectacle serait-il à ce point dégueulasse ? demanda Specteur, qui trouvait louche que le pomiculteur se tînt aussi loin du cercle de curieux.

— Non, pas du tout. Y a pas de quoi m'ébranler. Mais quand j'ai le choix, je préfère toujours regarder la pomme plutôt que le ver qui s'y cache.

« Philosophe », pensa Spec.

— Si vous voulez bien m'excuser, dit-il, je vais aller voir ce ver de plus près.

Specteur s'avança vers le troupeau d'observateurs et sifflota pour manifester sa présence.

— Ah, vous êtes là, inspecteur ! lança un flic.

— Un peu, oui, répondit Specteur. Vous n'avez touché à rien ?

— À rien du tout ! Tout est comme nous l'avons trouvé.

L'inspecteur pénétra à l'intérieur du cercle et observa la scène. À première vue, il ne s'agissait que d'un petit pommier dont la racine était complètement dégagée. Specteur toisa les spectateurs.

— Vous ne m'avez pas fait venir ici uniquement pour me montrer un pommier nu, j'espère ?

— Regardez bien la racine, dit Decin, le médecin légiste.

Spec s'agenouilla et admira le chef-d'œuvre. La base du pommier ainsi que sa racine étaient logées entre les mâchoires d'un crâne humain. Radicelles et filaments lui sortaient par les orbites et rejoignaient le sol en glissant sur les pariétaux, les temporaux et le frontal. Ce qui lui donnait une coiffure peu banale.

DEUX

— J'étais sur mon tracteur et je labourais ce qui sera mon jardin, l'été prochain. Je me demandais bien ce que ce petit pommier faisait là, isolé. Je suis passé juste à côté et ma bêche a fait jaillir un truc brillant à la surface. Ça m'intriguait. J'ai examiné l'objet et je me suis rendu compte qu'il s'agissait d'un bracelet en argent. J'ai creusé et vous connaissez la suite.

Le pomiculteur se tut.

— Selon vous, demanda Specteur, combien de temps un pommier met-il avant d'atteindre cette taille ?

De Reinette jeta un coup d'œil rapide à l'arbrisseau et déclara, sans hésiter :

— Quatre ans.

— Quatre ans ! ! ! fit Specteur, stupéfait. Vous en êtes sûr ?

— Certain. On plante les pommiers à l'extérieur quand ils ont la moitié de la taille de celui-ci. Bien engraissés, ils atteignent cette hauteur en quatre ans ou plus, selon les conditions climatiques.

— Comment se fait-il que cet arbuste, pas plus haut que trois pommes, ait résisté au labour de l'an dernier ?

— Il n'y était pas l'an dernier.

— Mais vous venez de me dire qu'il avait au moins quatre ans !

— Ce jeune pommier n'était pas là l'an dernier, pas plus qu'il n'était là hier.

Specteur ne se laissa pas impressionner.

— Comment pouvez-vous en être si convaincu ?

— Vous voyez les sillons perpendiculaires, là-bas ?

— Oui, très bien.

— Ils sont là parce que, hier, j'ai labouré ce même espace dans l'autre sens.

— Et le pommier n'était pas là ?

— Le pommier n'était pas là.

La mâchoire de Specteur tomba par terre. Il se tourna vers le médecin légiste.

— D'après vous, je sais que ce n'est pas facile à dire à la simple vue d'un squelette, mais, à quand remonte la mort de cet individu ?

— De cette jeune femme, vous voulez dire ?

— Ah, pardon, j'ignorais qu'il s'agissait d'un squelette de femme.

— Oui, regardez, c'est évident, surtout grâce au bassin.

— Ah bon.

— Mais, pour répondre à votre première question, je ne saurais dire quand cette femme est morte au juste, mais il doit y avoir très longtemps.

— Qu'entendez-vous par « très longtemps » ?

— Oh, je ne sais pas moi... Mille, quinze cents ans peut-être.

L'inspecteur Specteur voguait de surprise en surprise.

— Qu'est-ce que c'est que cette histoire ?

— Remarquez la couleur et la sécheresse des os. C'est signe d'une grande vieillesse. Il va sans dire qu'il faudra manipuler ce squelette avec énormément de précaution.

— Bon, voyez vous-même à ce que cette noble sépulture arrive intacte au labo, lança Specteur en faisant mine d'être pressé.

C'est qu'il avait soif dans les veines.

En se retournant pour courir vers sa bagnole, Spec se retrouva nez à quadruple menton avec le commandant

Mandant. Les sourcils surélevés, la colline de suif roulait des billes.

— J'ai fini, monsieur l'inspecteur ! cria-t-il gaiement.

— Qu'est-ce que vous avez fini ? demanda Specteur, agacé par ce ton de fillette que Mandant empruntait depuis déjà plusieurs semaines.

La grosse main moite de Mandant agrippa celle de Specteur et le bovin humide se mit à gambader en haletant. Forcé de suivre, Specteur courait pour éviter de se faire disloquer l'épaule. Les deux homme offraient un spectacle lamentable. On aurait dit une maman dinosaure enceinte et son petit. Le poupon dodu s'arrêta là où il avait gribouillé des dessins sur la terre un peu plus tôt.

— Regardez inspecteur ! lança-t-il en montrant le sol. J'ai fini !

Spec observa le drôle de dessin. Il devait faire un mètre carré. Cela ressemblait à une carte géographique ou à un plan d'architecte. En haut, sur la gauche, Mandant avait griffonné deux bonshommes ; un gros et un petit logé entre les jambes du premier.

— Qu'est-ce que ça représente ? demanda Specteur qui trouvait le dessin trop précis pour n'être que l'œuvre d'un simple attardé.

Une grosse bulle rose éclata au visage de Mandant.

— Sais pas ! glouss a-t-il en retirant le morceau de chewing-gum collé sur son nez.

— Vous ne savez pas ce que vous avez dessiné ? insista Specteur, sur un ton de mégère.

— Non ! répondit le gros bébé en riant.

— Comment pouvez-vous savoir alors que vous avez fini ! ! ? hurla Spec en collant ses yeux verts au fond de ceux de Mandant.

Les lèvres du commandant tremblotèrent et le pauvre faillit laisser échapper un sanglot. La situation provoqua un malaise paternel chez Specteur. Il se sentait comme un papa insensible et cruel qui n'accepte pas que son fils soit gros et arriéré.

— Pardon, finit-il par dire. Pardonnez-moi d'avoir crié. C'est que tout cela est tellement invraisemblable.

Rien à faire. Mandant conservait cette moue fondante d'enfant incompris. Ce qui amena Specteur à se poser de sérieuses questions quant à la pertinence du vouvoiement dans un tel rapport de force. Et, puisqu'il ne tenait pas non plus à voir ce gros nounours bouder toute la journée, Spec tenta de lui faire oublier quel mauvais grand frère il avait été.

— Et ça ? dit-il, enjoué, en désignant les bonshommes. C'est toi aussi qui les as dessinés ?

— Voui, murmura Mandant, incertain de la surprise qui se cachait derrière ce ton doucereux.

— C'est qui ? poursuivit Spec, toujours aussi joyeux.

Mandant redevint gai comme un pinson pansu gavé de jujubes.

— Le petit là, c'est moi ! Et le gros, c'est ma maman !

« Bravo ! Tu as bien travaillé ! pensa Specteur. Tu peux maintenant aller te jeter devant un autobus en marche. »

— Il a pris des photos ! continua l'éléphanteau.

— Qui ça ?

— Le photographe du commissariat ! Il va m'en faire agrandir une et je vais l'accrocher dans ma chambre !

Spec en avait assez entendu.

— C'est merveilleux mais je dois filer. On se revoit demain au bureau !

— Voui.

Le pouce bien enfoncé dans la bouche, le commandant Mandant attendit que l'inspecteur Specteur fût hors de vue puis sautilla, à pas de marelle, jusqu'à sa voiture. Il fit « vroum ! vroum ! pout ! pout ! » pendant une vingtaine de minutes avant d'atteindre le cimetière Père-Lacarte, au sud de Capit. Puis, le nez enfoui dans un repli de la banquette arrière, l'enflure puérile se tapa une petite sieste en attendant l'obscurité.

Deux heures plus tard, lorsqu'il entrouvrit ses beaux gros yeux juteux, Mandant ne voyait pas à deux mètres devant lui. Il étira ses membres dodus en poussant un long cri étouffé qui lui fit rougir le visage. Un chewing-gum roupillait toujours derrière son oreille droite. Il le fourra au fond de son bac à bave et descendit de voiture.

Une fois dans le cimetière, il pointa le faisceau de sa lampe de poche sur son visage, surexposant ainsi sa tronche d'abruti. Jamais il n'éclaira le sol devant lui. Inutile. Le commandant Mandant savait où il allait.

Il s'immobilisa devant une pierre tombale et déballa un autre chewing-gum. Ses bajoues se gonflèrent et une minuscule bulle rose poussa entre ses lèvres de crapaud. (C'est qu'elles avaient séché à force de se faire lécher et de mastiquer ces immondices.) Il avala sa chique et commença à creuser.

TROIS

De retour à Capit, l'inspecteur Specteur rentra directement chez lui. Normalement, son gosier sec aurait dû le mener à la Taverne Occulte, mais une solide pression sur sa fermeture éclair lui suggérait de faire une petite escale entre ses draps. Avec raison, puisque mademoiselle Zelle l'y attendait de seins fermes. Specteur l'imaginait déjà, nue devant lui, sa longue tignasse brune époussetant ses mamelons pointus. Encore une fois, il ne saurait résister. Ses deux petits yeux noirs, mystérieux comme de petits trous de serrure par lesquels on regarderait brûler la vie, inspiraient trop bien la chair. Sur chacune de ses courbes de femme, il ne pourrait que déraper avec délice.

Spec venait à peine d'ouvrir la porte qu'aussitôt, la vilaine androphage lui mordillait l'entre-lèvres. Il avait beau protester en criant: « Oui! Oui! Encore! », elle le déculotta tout de même et s'empala de lui. D'un mouvement précis et régulier du bassin, elle se mit à décrire des « 8 » sur le pubis de sa monture.

— Bouge pas la mine, mon p'tit vicieux, ronronna-t-elle, j'vais signer ton nom en lettres de péché.

Du « S » au « r », le nom de Specteur fut gravé dans sa chair à coups de pelvis autodidacte. Zelle s'en donnait à cul joie. Specteur, lui, savourait le plus grand des plaisirs mais s'assoiffait, à son plus grand déplaisir.

Après de nombreux autres graffitis charnels, Zelle poussa à fond de train sa frangine. Elle allait et venait, faisant forer Specteur à une vitesse vertigineuse. La pauvre était hors d'haleine mais maintenait le rythme. Un orgasme était planqué au fond de son ventre et elle n'arrivait pas à l'en déloger. Griffes sorties, elle feulait et crachait en lacérant le torse de son amant. Spec n'osait bouger, comme si son vit en dépendait.

Zelle ralentit peu à peu la cadence, puis ses yeux se révulsèrent légèrement. L'orgasme s'échappa par sa gorge. Il était long, malin, feutré, et se faufilait en grinçant entre ses cordes vocales. Malheureusement, Specteur n'arriva pas à l'attraper. Le vicieux orgasme s'enfuit donc et mourut quelque part, non loin de la cuvette.

Mademoiselle Zelle était maintenant molle et respirait par à-coups. Elle extirpa Specteur et fixa son preux pieu. Il pointait toujours vers le plafond.

— T'as pas joui ? fit-elle, étonnée.

— Eh ben, j'attendais que tu sois satisfaite avant de…

— C'est quoi ces manières ! ! ?

Elle l'enfourcha à nouveau et, en moins de cinq secondes, un flot de Specteur microscopiques changea de sexe.

— *Patria a me servata…*, souffla le soulagé.

Pour Spec comme pour tous les hommes, le post-coït était très important. Aussi se reculotta-t-il en vitesse et déclara-t-il :

— Bon ! On va boire un coup ?

— Oooooooh oooouuuuuuiiiiiiii ! chantonna Zelle.

— Oh ! mais dis donc, lança Spec avant de sortir, où t'as fourré Fido ?

— Ton perroquet est dans le placard.

— Bôôrk ! entendit-on sourdement derrière une porte. Salope ! Bôôôôrk ! Salope !

QUATRE

Dans son rétroviseur, le commandant Mandant aperçut le joyeux tourbillon des gyrophares. Il fallait s'y attendre, sa caisse faisait du cent soixante-dix à l'heure. En temps normal, il eût simplement immobilisé son véhicule, sorti son badge, rigolé un peu avec le policier et continué son gros bonhomme de chemin. Mais le clown graisseux se sentait taquin. D'autant plus qu'un cercueil, fraîchement déterré, faisait office de queue dans le cul de sa bagnole.

Mandant s'étendit donc sur la banquette arrière et fit semblant de dormir. Sa voiture ralentit, actionna elle-même son clignotant et stoppa. C'était comme si une quelconque entité avait pris la relève derrière le volant.

Clopin-clopant, clope au bec, le flic alla vers le cercueil en le barbouillant de sa lampe de poche. Les mottes de terre ainsi que les nombreuses égratignures qui agrémentaient la boîte à cadavre ne trahissaient point sa provenance ni son âge. Nul besoin d'un baccalauréat en ébénisterie mortuaire pour constater qu'elle n'était sûrement plus sous garantie.

Bien qu'il n'eût remarqué personne qui s'était pris les jambes au cou, le flic nota tout de même l'absence de coupable dans l'auto. Il braqua sa torche sur les vitres latérales et s'avança à pas de couilles. Sur la banquette arrière, une masse de chair énorme tressaillait en émettant des petits cris secs et aigus. Le flic toqua à la vitre.

— Sortez de là, immédiatement ! ordonna-t-il.

Mandant releva la tête, un sourire de débile accroché aux oreilles. Au lieu d'obtempérer, il déballa un chewing-gum tout neuf et se mit à le mastiquer goulûment en clappant. D'une pichenette précise, il en projeta l'emballage en direction du flic qui l'attrapa et le garda précieusement au creux de sa main sans trop savoir ce que c'était.

— Hé ! Ho ! cria le flic. C'est vous, commandant ? Allez, descendez. J'ai pas toute la nuit…

Les yeux du commandant Mandant se mirent alors à tourner. L'un, dans le sens des aiguilles d'une montre, et l'autre, dans le sens des aiguilles d'une montre défectueuse. Effrayé, le flic posa la main sur son revolver et recula d'un pas.

— C'est quoi ce truc, hein ? Allez, descendez commandant, vous me foutez les jetons !

Le commandant ricanait et morvait dans ses paumes. Il écrasa nez et front contre la vitre, poussa la pâte molle de son chewing-gum du bout de la langue et souffla. Sa bagnole quitta le sol. Le flic n'en croyait pas son douze de Q.I. Plus le ventripotent soufflait, plus la voiture s'élevait dans les airs. Mandant baissa la vitre et sortit la tête pour admirer le paysage. Il était juste au-dessus du flic.

— Commandant, arrêtez ces conneries tout de suite ou j'appelle du renfort !

Mandant souffla un bon coup et la boule rose éclata. Du coup, la bagnole retrouva sa bonne vieille gravité et vint chapeauter l'agent de police. Le misérable fut si bien aplati qu'il s'en baisa les chevilles.

CINQ

À la Taverne Occulte, le Président de la République, M. Zident, chantait La Farseillaise, debout sur une table, en se gargarisant de Maiissìhkh. Ses cheveux étaient si ébouriffés qu'on eût dit qu'il s'était battu avec un salon de coiffure. La cravate qui le nouait habituellement à son rôle social s'en balançait dans son dos. Un petit bedon rond, tendu comme s'il voulait se débarrasser de son nombril, dévoilait une partie de sa pelure rose duvetée à travers un bas de chemise entrouverte. À en juger par son allure générale, le Président Zident n'était sûrement pas en période électorale.

L'inspecteur Specteur et mademoiselle Zelle s'installèrent à quelques tables de là et commencèrent à se poser de sérieuses questions quant à l'utilité du Président de ce pays. Ils se firent tout de même discrets et observèrent la scène en silence.

Sa chanson terminée, le Président ouvrit un sac de papier et en tira, par une aile, un coq. L'animal giguait dans le vide. Zident lui tordit le cou, au-dessus d'un seau posé à ses pieds, et lui arracha la tête. La vie du volatile se volatilisa.

— *Hjotmeop Vetdjisiey itv guy!* tonitrua le Président avant de gober le contenu du seau.

Le sang coulait au coin de ses commissures, les étirant jusqu'à lui donner un air de clown triste.

— *Mit simohoupt iphipfsipv mi sedotni !*

Zident défit sa ceinture, ouvrit son pantalon et y fourra le gallinacé éteint. Spec et Zelle se demandaient bien à quel type d'incantation s'adonnait le Président de la République. Il vint lui-même leur offrir la réponse et une bouteille de Maiissìhkh.

— Je peux m'asseoir avec vous ? demanda-t-il, l'air piteux.

— Bien sûr, monsieur le Président, bien sûr.

Il se courba pour poser ses fesses présidentielles sur la chaise. Cette flexion comprima le défunt coq qui se chia les entrailles par le cou. Monsieur le Très Honorable Président de la République Friandaise était loin de sentir le déodorant pour hommes *Sent-Bon,* offert en quinze parfums-fraîcheur différents.

— Pardonnez tout ce boucan, dit-il, mais cette incantation était essentielle.

Zelle, toujours intriguée par ce qui peut entrer ou sortir d'un pantalon, ressentit un besoin urgent de s'instruire.

— Je ne voudrais pas que vous me preniez pour une parfaite connasse, monsieur le Président, mais je ne vois pas en quoi un coq dégoulinant sur vos parties apolitiques peut vous être utile.

Zident baissa les yeux.

— Je... C'est... C'est un peu embarrassant...

— Ah bon, fit Zelle. Désolée d'avoir demandé...

Elle semblait déçue. La galanterie ne tolérant pas la déception féminine, le Président Zident trouva vite une solution.

— Attendez que je sois parti et l'inspecteur Specteur vous renseignera à ce sujet.

Spec qui ne tenait pas particulièrement à passer pour un inculte, dut tout de même avouer son ignorance.

— Quoi ? s'étonna le Président. Vous n'avez jamais entendu parler de l'incantation *Qsoeqi ?*

— Malheureusement non. À vrai dire, la seule incantation que je connaisse est celle que j'ai faite le jour où j'ai vendu mon âme à Satan. Et c'était purement involontaire.

— Putain, dit le Président, j'étais sûr que tous les disciples masculins du démon avaient, un jour ou l'autre, eu recours à cette prière.

Il observa, tour à tour, Specteur et mademoiselle Zelle très rapidement et sans ralentir l'alternance. Sa tête pivotait de gauche à droite comme le tambour d'une machine à laver. « Il doit être en transe », se dit Zelle. Zident-le-tristounet s'immobilisa soudain et éclata en sanglots.

Malgré l'odeur de fiel et fiente de coq mouillé qu'il dégageait, Zelle s'approcha du Président et le prit dans ses bras pour tenter de le réconforter. Specteur, en homme viril qu'il était, se contenta de lui tapoter l'épaule et de lui masser les trapèzes. Zident leva deux yeux inondés qui se fixèrent sur Zelle.

— Je peux vous toucher un sein ? demanda-t-il poliment.

Zelle resta surprise bien que trouvant la requête plutôt amusante.

— Eh bien euh… oui. Pourquoi pas ?

— Ça vous embête pas, inspecteur ?

— Non, non, pas du tout, répondit Spec, qui se sentait croître. Allez-y ! Allez-y !

Désireuse de ne pas faire les choses à moitié, Zelle avait déjà soulevé son chandail et exhibait le contenu de son 90. Le Président Zident posa une main tremblante sur un sein vaillant, le tripota quelques secondes et se remit à chialer de plus belle. Ce qui devait le réconforter l'avait, au contraire, démoli. « Quelle mouche l'a donc enculé pour qu'il se retrouve dans un tel état ? » se demanda Spec en ramollissant.

— Il y a longtemps que vous êtes passé chez le plombier ? s'enquit-il pour alléger l'atmosphère.

Le Président se forgea une grimace en forme de question.

— Pourquoi vous me demandez ça ?

— Parce que vos yeux coulent.

Un sourire de réconfort releva ses pommettes et Zident s'épongea les yeux. Zelle lui prit la main.

— Dites-nous ce qui vous arrive, on peut peut-être vous aider.

— Oui ! renchérit Specteur. Quoi que ce soit, je suis persuadé qu'on peut vous prêter main-forte !

— Oh ! J'aurais plutôt besoin qu'on me prête queue-forte.

Spec et Zelle se jetèrent un coup d'œil coquin.

— Qu'est-ce que vous voulez dire ?

— Vous me jurez que vous vous foutrez pas de ma gueule? implora le Président qui avait maintenant du sang de coq jusqu'aux chevilles.

— On vous le jure sur la tête de Satan, fit Specteur, solennel.

Zident renifla un bon coup, puis confessa :

— Si je me suis tapé l'incantation *Qsoeqi*, c'est que... c'est que...

Il prit une grande respiration et débita, à la vitesse du *Concorde* :

— C'est que ça fait trois mois que j'ai la gaule molle comme de l'eau, bon ! !

La rate de Specteur tapa du pied pour aller jouer dehors mais il la retint et rassura Zident :

— Allons, monsieur le Président, soyez patient et optimiste. Donnez la chance à l'incantation de faire effet.

— Je veux bien, mais c'est la troisième fois, cette semaine ! Et j'en ai marre de fourrer ces putains de moineaux dans mon froc !

C'est qu'il n'était vraiment pas ornithophile.

— Les mots que vous déclamez pendant votre prière, demanda Zelle, vous êtes sûr que ce sont les bons ?

— Oui, je crois. Enfin, selon ce que j'ai lu dans le grimoire que Satan m'a refilé.

La tête entre les mains, le Président désespérait pendant que Specteur réfléchissait.

— Je crois que j'ai une solution, finit-il par dire.

— Ah oui ? fit Zident, une lueur d'espoir au fond de la bite.

— Temporaire.

— Ah ? Combien de temps ?

— Un jour ou deux. Le temps que vous consultiez Satan.

— J'ai déjà essayé, et il ne me rappelle jamais !

— Il est peut-être occupé. Faites un coup fumant pour attirer son attention. Je sais pas moi, faites sauter un HLM, un hôpital, un couvent !

— C'est une idée.

— Il viendra vous féliciter en personne et vous pourrez ainsi obtenir la formule exacte de l'incantation euh... comment vous dites, déjà ?

— *Qsoeqi.*

— Qu'est-ce que ça signifie ?

— Sais pas.

— Enfin, vous aurez le bon mode d'emploi et votre problème sera réglé.

— Et qu'est-ce que je devrai faire pour retrouver mon hommitude pendant un jour ou deux ?

— Absolument rien. Je vais vous prêter ma libido, tout simplement.

— Hé ! Ho ! Et moi, alors ? protesta Zelle.

— T'en fais pas, ce ne sera pas très long. Et puis, j'ai toujours ma bouche et mes mains. Et puis, c'est pour rendre service au Président de la République. Et puis...

— Bon, bon, ça va ! Ça va !

— Et vous, monsieur le Président, ça vous va ?

— Si ça me va ?

Le Président Zident était heureux comme un cultivateur de marijuana.

SIX

Le cou du flic était complètement replié vers l'arrière. Son tronc également. La colonne vertébrale s'était cassée juste au-dessus du bassin, ce qui avait provoqué une flexion totale du corps. Le visage écrasé entre les mollets, les yeux morts du flic fixaient le bitume.

Tandis qu'un photographe s'affairait au-dessus du cadavre et que le releveur d'empreintes courait à droite et à gauche, l'inspecteur Specteur scrutait mollement les environs. Il n'avait pas le cœur à l'ouvrage. En plus de la cuite de la Taverne Occulte qui lui polluait la calotte, il subissait les conséquences de sa générosité envers le Président. En bon professionnel qu'il était, il réussit cependant à faire un tour complet de la scène du crime sans toutefois récolter le moindre indice. Les épaules basses, il retourna nonchalamment vers sa Renault 5. Mademoiselle Zelle, assise sur le capot, jambes écartées, l'y attendait en grillant un cigarillo. La bouche entrouverte, elle s'amusait à laisser doucement filer la fumée blonde qu'elle inhalait ensuite par les narines. Spec ne daigna même pas la regarder et grimpa dans sa bagnole.

— Qu'est-ce tu fous ? lança Zelle.

— Il n'y a rien à faire ici, marmonna Spec. Je rentre.

— Quoi ?

— Ça ne cadre pas avec… l'histoire du squelette… et le pommier… et…

— T'as mis à peine cinq minutes pour faire le tour ! T'es pressé ou quoi ?

— Non… je suis… sais pas… je suis las… J'ai un coup de barre…

— Ah merde ! Putain ! Fait chier, putain de chiasse ! ! ! Je savais que t'aurais jamais dû prêter ta queue à ce putain de Président ! Regarde dans quel état tu es ! ! ! On dirait un zombie sous sérum devant un match de foot !

— Je t'en prie, ne crie pas… J'ai sommeil, c'est tout.

— Tu peux quand même pas foutre le camp, comme ça, après deux coups d'œil jetés à la vitesse d'un stroboscope ! ? ?

— …mmm…

Il n'y avait rien à faire. Sans sa libido, Spec était devenu une véritable pâte molle. Et pas seulement entre les deux jambes. Zelle décida de prendre les choses en main.

— Tu permets que j'aille fouiner un peu avant de partir ?

— …mmm… il n'y a rien, je t'assure…

— Juste cinq petites minutes, insista-t-elle. Tu peux dormir un peu en attendant. Je te ramènerai chez toi ensuite.

— …mmm… bon… d'acc…

Il dormait déjà. Son long visage maigre et osseux contrastait avec le ton gras de ses ronflements. Zelle s'éloigna à pas de souris. Elle était tout près du cadavre quand un policier l'interpella :

— Hep ! Faut pas rester là, ma cocotte ! C'est pas une piste de danse ici, c'est une scène de crime !

Les autres policiers s'esclaffèrent. « Sale petite merde de con… », pensa Zelle en disant :

— Ha ! Ha ! Ce que vous êtes rigolo !

Le phallocrate était fier de ses balbutiements. Il profita de son imbécillité pour manquer de savoir-vivre et insista :

— Et qu'est-ce qu'elle fait dans le coin, la cocotte,

hein ? Elle est perdue et elle cherche un flic grand et fort pour la ramener chez elle ?

Zelle ignora le trèfle en uniforme et se tourna vers le cadavre. Tout le monde rit sous casquette et donna la victoire à la cocotte qui ne s'était pas donné la peine de répondre à un concombre. Ce qui ne fit que multiplier par moins cinq les facultés intellectuelles du flic macho.

— Elle est sourde, la cocotte ?

Silence zélé. Le flic l'agrippa par un bras.

— Elle préfère peut-être goûter à la matraque du grand méchant policier ?

D'un coup sec, Zelle se dégagea et fusilla la brute du regard.

— Tu veux savoir, espèce de sous-débile de la famille des légumineuses ! ? La « cocotte », comme tu dis si bien avec ta sale bouche d'égout, elle est la cocotte de l'inspecteur Specteur ! ! ! Et l'inspecteur Specteur m'a donné la permission de venir la voir, ta scène de crime ! ! ! Et l'inspecteur Specteur a promis de faire éclater la gueule de quiconque oserait m'appeler « la cocotte » ! ! ! Alors, si tu veux pas que j'aille, de ce pas, répéter à mon amant l'épithète — en espérant que tu connaisses la signification du mot « épithète » — l'épithète donc, que tu me sers depuis tout à l'heure, je te recommande de faire l'autruche dans le premier tas de merde que tu croiseras ! ! ! Vu ! ? ?

On entendit une dizaine de mouches voler. Le policier serra la crosse de son revolver de toutes ses forces et recula gentiment en essayant d'éteindre les tisons de colère qui lui brûlaient les tempes. Quand il rejoignit ses collègues, on tourna la tête, faisant mine de n'avoir rien entendu. Zelle put enfin inspecter les lieux à sa guise.

Au bout de quelques minutes, elle retourna à la Renault. Spec roupillait toujours. Elle le ramena en douceur.

— Spec... Spec... C'est moi, Zelle...

— Mmmppfff...

Il ouvrit les yeux et se redressa.

— Je t'avais bien dit qu'il n'y avait rien, hein..., marmonna-t-il.

— C'est plutôt mince, en effet, mais j'ai quand même fait quelques découvertes.

— Raconte...

Zelle ne se fit pas prier davantage et lui communiqua le fruit de son travail. Il y avait tout d'abord ces morceaux de terre qu'elle avait trouvés à deux pas du cadavre. Et cette poussière, tantôt grise, tantôt rouille, qui tachait le costume du flic à plusieurs endroits. Et finalement, un emballage de chewing-gum qui gisait dans sa main gauche.

Specteur n'était pas très emballé.

— Comme tu disais, c'est plutôt mince..., fit-il.

— Oui, mais il y a un détail qui mérite d'être considéré.

— Lequel ?

— L'emballage de chewing-gum.

— Pourquoi ?

— C'est la marque préférée du commandant Mandant..., dit Zelle.

Specteur fronça les sourcils. Il dormait beaucoup moins.

SEPT

Le Président Zident savourait sa douzième éruption sans ramollir. Son épouse, Pouze, avait un sourire accroché sur toutes ses lèvres.

— Baptise-moi la luette !!! hurla-t-elle en se jetant par terre, toutes écoutilles ouvertes.

Les mains derrières le dos, Zident la fit taire. En moins de temps qu'il n'en faut pour enseigner l'espagnol à un Espagnol adulte, Pouze se retrouva motus et bouche foutue.

Le téléphone roucoula. Zident le reluqua avec avidité. Pouze enfila un peignoir et lança :

— Allez mon chéri, tu peux répondre. Je vais aller prendre un bain.

Le Président se rua sur le téléphone.

— Allô !!!

C'était le général Néral. Un des suppôts les plus méritants de Satan. Ses massacres injustifiés à la tête de l'armée friandaise y étaient peut-être pour quelque chose...

— Alors, général ! Ça gaze, mon pote ? lança le Président d'un ton qui en disait long sur son humeur.

— *Tout à fait !*

— Vous avez pensé à ce que je vous ai demandé ?

— *Oui. Et j'ai trouvé quelque chose de beaucoup plus spectaculaire qu'un HLM ou un couvent.*

— Ah bon ! Qu'est-ce donc ?

— *Une île, monsieur le Président, une île.*

— Une île ? Habitée ?

— *Par plus de cinquante mille indigènes, monsieur le Président. Elle s'appelle l'île LE.*

— Génial ! ! ! Quand comptez-vous faire sauter tout ce beau monde ?

— *Aussitôt que vous m'en donnerez l'ordre.*

— Dans ce cas, FEU ! ! !

— *À vos ordres, monsieur le Président.*

Au moment où le Président de la Friande déposait le combiné, les cinquante mille indigènes peuplant l'île Le furent soufflés par une bombe cryogénéticoatomachimique.

Ce génocide injustifié fit tant plaisir à Satan qu'il apparut aussitôt au pied du lit de Zident. Les sabots écartés, le poitrail gonflé, le nombril saillant, le diable applaudissait et tapait de la queue en sifflant d'admiration par le trouduc.

— Ah guano de guano ! Zident, mon vieux, t'es un héros ! ! ! Tu m'as fait une de ces joies en faisant sauter ce... arrgghhhh... ! ! ! !

Satan porta les mains à sa gorge. Son visage se mit à rougir pour ensuite bleuir, ce qui lui donna l'allure d'une tumeur cornue. Il suffoquait et donnait des coups de mâchoire comme pour happer un filet d'air vital.

— Que diable vous arrive-t-il ! ? ! ? cria Zident en tapant dans le dos visqueux de son maître.

Les mains du démon balayaient le vide. Il cherchait un atome d'oxygène consentant. Une idée lui vint. Il se mit à quatre pattes et, de sa queue, s'embrocha par derrière jusqu'aux amygdales. Les yeux noyés, il toussa un bon coup en s'enculant de toutes ses forces. Le coup de queue fit son effet. Une demi-jambe, bien chaussée, jaillit de la gueule du diable, suivie d'un morceau de soutane.

— Pardonne-moi, haleta Satan en reprenant son souffle. J'avais un chanoine dans la gorge.

— Prébendé[1] ? demanda Zident.

— Plutôt, oui, avoua le diable.

— Vous devriez pourtant le savoir : un ecclésiastique riche, c'est toujours dur à avaler.

Les deux hommes rirent à gorge débloquée. Après quelques bonnes rasades de Maiissìhkh, Satan fit part au Président de son engouement pour l'île LE.

— C'est un enfer tout à fait paradisiaque ! En éliminant tous les indigènes qui s'y trouvaient, tu m'as fait une de ces joies !

— Content que ça vous ait plu.

— T'aurais dû les voir éclater ! C'était jouissif ! ! !

Zident était fier de son coup. C'était le moment idéal pour demander une faveur au patron.

— Je... j'ai... quelque chose...

— Attends un peu, veux-tu ?

D'un coup de queue précis, Satan piqua la demijambe régurgitée et la ramena dans sa gueule.

— Pouah ! lança-t-il en mâchouillant, ma queue a un goût merdique ! Bon ! Je me sauve !

— Attendez ! implora le Président. Je... j'ai un service à vous demander.

— N'importe quoi, guano de guano ! Après le cadeau que tu viens de me faire, je te dois bien ça.

Le Président s'exprima rapidement :

— Voilà : depuis un bout de temps, j'ai la libido d'un octogénaire castré et ça ne peut plus durer. J'ai eu beau essayer l'incantation *Qsoeqi* par trois fois, rien à faire. Sans ma libido, je n'ai plus envie d'être un salaud, de faire assassiner des gens, de plonger la plèbe dans la misère, de faire crever de faim les enfants, rien. Je ne suis même pas capable de tuer le temps. Rendez-moi ma libido, je vous en supplie, vous ne le regretterez pas !

---

1. Ne pas confondre avec « pré-bandé ».

Depuis le début de son entretien avec le diable, Zident avait complètement oublié qu'il sortait d'une baise intense et qu'il était nu comme un clou. De plus, son obliquité jurait grandement avec sa requête.

— De quoi tu te plains ? ricana Satan. T'as de quoi porter douze drapeaux de la Friande !

— Non, non ! Ça c'est Specteur ! rectifia Zident en désignant sa hampe.

— Hé ! Ho ! protesta le diable, je veux bien croire que Specteur a une tête de bite, mais faudrait tout de même pas exagérer !

— Non ! Quand je dis : « c'est Specteur », je veux dire : « c'est *grâce* à Specteur ».

— Si c'est ce que tu veux dire, pourquoi tu ne le dis pas directement au lieu de dire une chose que tu ne veux pas dire en disant que ce que tu dis n'est pas ce que tu veux dire ou que tu ne veux pas dire ce que tu dis en disant ce que tu dis ?

— Qu'est-ce que vous voulez dire ?

— Laisse tomber, soupira Satan, un peu découragé.

— Bon, alors comme je le disais, c'est grâce à Specteur si je suis comme ça.

Satan apprit alors combien Specteur avait été généreux et consentit volontiers à raffermir les dessous de la présidence.

— Tout de même, fit Zident, je n'arrive pas à comprendre pourquoi l'incantation *Qsoeqi* n'a pas fonctionné.

— C'est simple, dit le diable, je change régulièrement les formules de façon à ce qu'on n'oublie jamais que c'est moi le patron.

HUIT

Un cube de terre avait été découpé tout autour du squelette à pommier. C'était la seule façon que le médecin légiste avait trouvée pour déplacer ce chef-d'œuvre de morbidité jusqu'au labo sans le réduire en poussière. Là, on avait méticuleusement dégagé les ossements. Un travail qui avait nécessité trente-six heures de patience d'horloger.

Specteur était affalé sur une chaise, les yeux mi-clos et la lèvre pendante. Il lui manquait toujours cette vigueur et cette fougue qui caractérisent les libidineux. Le cerveau dans le formol, il écoutait distraitement le médecin livrer son rapport.

— D'après les tests au carbone 14, ce squelette est âgé de deux mille ans. Je suis également en mesure d'affirmer que la mort de cette jeune femme n'a pas été des plus agréables. Venez voir, inspecteur.

De peine et de misère, Spec se leva et se traîna les pieds jusqu'à la carcasse. Decin dénota tout de suite une mollesse inhabituelle chez son inspecteur favori.

— Quelque chose qui ne va pas ? On dirait que vous portez la bêtise humaine sur vos épaules.

Le secret professionnel qui le liait à Satan ne permit pas à Specteur de révéler que son inertie était due à un prêt de libido. Aussi se contenta-t-il de hocher la tête et de sourire faiblement.

— Tuot av bine[1]. Allez-y, je vous écoute…

Rassuré, Decin étala le fruit de ses analyses.

— Une observation superficielle nous démontre que cette personne a été enterrée vivante.

— Comment cela ? demanda Spec, un peu surpris malgré son apathie.

— Regardez les os des doigts et des orteils. Ils sont très écartés et repliés à l'excès. La victime a dû se crisper, en vain, pour échapper à la mort. Il n'y a que ce majeur, là, qui soit resté droit.

Il poussa un petit rire de gamin.

— On dirait un doigt d'honneur ! Ho ! Ho !

— Mmm…

La confusion gagnait Specteur. Il avait sous les yeux la charpente d'une femme, enterrée vivante deux mille ans plus tôt avec, entre les mâchoires, un joli petit pommier âgé d'à peine quatre ans. Ce ne pouvait être plus tordu.

— Jetez maintenant un coup d'œil sur la mâchoire, poursuivit le médecin, enthousiaste. Elle est disloquée du côté droit. De plus, les canines et incisives des maxillaires inférieur et supérieur ont été cassées avec une pierre ou un objet rond quelconque. D'où le cercle presque parfait que forme l'absence de dents.

Decin aimait son travail et ça se sentait. Le regard affamé, il se frottait les mains et attendait que Spec l'enterre de questions. Après plusieurs secondes de silence décevant, il enchaîna :

— Suivez-moi, inspecteur, je veux vous montrer autre chose.

Penché sur un microscope, Decin ajusta la focale puis laissa la place à Specteur qui se courba en geignant. Les bidules microscopiques ont ceci de mystérieux qu'on a beau les voir grossis dix mille fois, on ne sait jamais ce qu'ils représentent, à moins d'avoir une trentaine de

1. Cette phrase vous est offerte par l'Association des dyslexiques de la Friande.

baccalauréats en poche. Ce que Specteur voyait grâce aux lentilles grossissantes ne fit pas exception à la règle. Il avait beau regarder de toutes ses forces, il ne décelait que des filaments poussiéreux qui pointaient dans toutes les directions.

— Bon..., soupira-t-il, ennuyé. Très intéressant... Je crois que j'ai un creux...

— Vous vous demandez sans doute ce que c'est, hein ?

— Non, je vous le demande à vous, rétorqua Spec.

— Ce sont des particules de fil à coudre ! déclara le médecin aussi gaiement que s'il avait dit : « Je viens de divorcer ! ».

— Mais encore ? bâilla Specteur.

— De la façon dont ce fil était disposé sur le devant de la mâchoire, tout porte à croire qu'on a cousu les lèvres de la victime avant de l'enterrer.

Decin continua de jacasser en se dirigeant vers un autre microscope. Spec passa à deux cheveux de s'endormir. Il ne songeait qu'à cela : dormir et manger. Son corps lui semblait rempli de sable. De plus, cela ne faisait même pas deux jours qu'il manquait de testostérone que déjà, il souffrait d'adipsie. La seule vue d'une bouteille de Maiissìhkh lui levait le cœur. Il profita du fait que Decin avait le dos tourné pour se rasseoir et fermer les yeux.

— J'ai également examiné de petites granules qui me semblaient suspectes, continua le médecin dont la voix pénétrait à peine la somnolence de Specteur. Ce sont, croyez-le ou non, des particules de phosphate provenant d'un engrais artificiel qu'on ne fabrique, à Capit, que depuis cinq ans à peine. Y a pas à dire, on nage en plein anachronisme !

Les dernières paroles de Decin se perdirent dans l'espace et Spec dodelina directement vers le dodo. Il n'eut cependant pas le temps d'émettre son premier ronflement puisque son portable le ramena à l'ordre. La sonnerie le fit sursauter.

— Allô… ? marmonna-t-il, un filet de bave sur le menton.

— *Inspecteur Specteur ? C'est le Président Zident !*

— Mmm…

— *Bonne nouvelle ! Satan vient de m'offrir une libido toute neuve. Je vous renvoie donc la vôtre illico ! Au revoir !*

Aussitôt le portable éteint, une forte poussée horizontale de chair força Specteur à écarter les jambes et à reculer le bassin. Son front se haussa et ses yeux passèrent de la position « Repos » à la position « À l'aventure ! ». En moins de deux[1], il était debout et fonçait sur Decin qui avait toujours le nez sur son microscope.

— Decin ! lança Spec avec l'énergie d'un ado devant une trentaine de femmes nues, mettez-moi tout cela par écrit et je repasserai plus tard ! Le devoir m'appelle !

---

1. Deux quoi ? Je l'ignore. Chose certaine, ce ne sont sûrement pas deux forêts vierges ou deux escargots au beurre à l'ail.

NEUF

Les deux jours d'abstinence forcée de Specteur furent récupérés en moins de six heures. Mademoiselle Zelle était à bout de souffle et Spec, à bout de foutre. Il était temps qu'il se pousse.

L'appartement de Zelle était situé au nord-ouest de Capit, à quinze kilomètres de celui de son amant. Les deux obsédés n'avaient pas eu le choix. Satan ne voulait rien entendre. Le pacte qu'il avait signé avec Specteur était très clair. Pas question qu'il partage sa vie ni son appartement avec une femme. « Et n'oublie pas que tu ne dois faire affaire qu'avec des putes ! » avait-il ajouté en agitant un ongle noir et crochu. C'est pourquoi, à l'occasion, Spec et Zelle étaient aussi obligés de se taper des partenaires différents. Ce qui n'était quand même pas tout à fait désagréable.

— Quelle heure est-il ? demanda Specteur.

— Dix-neuf heures..., soupira Zelle en s'étirant jusqu'à la lune.

— Je file.

Avant de franchir la porte, Spec jeta un coup d'œil derrière lui. Un joli petit front plein de toupet et deux billes noires scintillantes dépassaient des couvertures. Spec sourit.

— Dis, ça te plairait à l'occasion d'assister le meilleur inspecteur de police au monde dans ses enquêtes ?

Trois petits hochements de tête lui signifièrent que oui.

— T'en parles à personne, hein?

Minisigne que non.

— Je t'appelle et on se déjeune…

Dehors, la fraîcheur agrippa Specteur au collet. Il ferma son long trench noir et courut jusqu'à sa Renault 5. Trois coins de rue plus loin, une lumière bleutée attira son attention. Elle provenait d'un immense néon qui annonçait «AU BORD DE L'EAU». Il s'agissait d'un immense bain public entouré de sable, où on essayait, tant bien que mal, de reproduire les charmes de la plage durant les jours gris de l'hiver. Après minuit cependant, l'endroit devenait mille fois plus agréable puisqu'on éteignait six des douze lettres de l'enseigne pour ne garder que celles-ci: «BORD E L». Pour dynamiser le tout, deux petites boules, fixées à la base de l'apostrophe, clignotaient et lui donnaient l'air d'un vit coquin.

Ce bordel à temps partiel n'était pas sans rappeler à Specteur de nombreuses prises de becs, de fourches et de croupes. À quatre pattes dans le sable, il en avait vu de toutes les couleurs et, n'étant pas raciste, en avait aussi goûté. Mais ces inusables images épidermiques qui flattaient sa mémoire étaient ternies par un gigantesque détail: le commandant Mandant.

C'était sur le trottoir, juste devant la porte d'entrée, qu'il avait croisé son supérieur. Ce foutu bourrelet bipède habitait le quartier. Le même quartier que mademoiselle Zelle, aujourd'hui. Heureusement pour Spec, Mandant n'avait pas pensé, cette nuit-là, lui demander ce qu'il faisait devant la porte d'un bordel à deux heures du matin. Éméché, il l'avait plutôt invité à venir prendre un pot. Spec avait naturellement refusé mais l'avait tout de même raccompagné chez lui pour voir quelle sorte de piaule pouvait bien abriter un mammifère de cette taille.

L'emplacement exact de la maison de Mandant lui revint soudainement à la mémoire. Elle était sise à l'angle des rues Regressyot et Pédillat. Spec se gara un coin de rue plus loin et décida d'aller espionner le gros unicellulaire. Il avait beau être son supérieur, il était quand même un peu suspect.

La maison n'avait pas changé d'un poil[1]. Elle était petite, coquette et maquillée de couleurs vives et raffinées. La disposition des fenêtres de façade ainsi que celle des lucarnes à l'étage donnaient l'impression qu'elle souriait. Qu'on la vît le jour ou le soir, elle demeurait un bonbon suave pour les yeux.

Tous les rideaux étaient tirés mais il y avait de la lumière à l'intérieur. Une ombre traversa la maison. Intrigué, Specteur s'engagea sur la pointe des pieds dans l'allée menant à l'escalier principal. Il était curieux de voir ce à quoi **Mandant**[2] occupait ses temps libres.

Quatre minuscules marches le séparaient de la surface du perron. Voyant que l'ombre obèse s'activait sérieusement à l'intérieur, Specteur ne perdit pas de temps et entama aussitôt son ascension vers le voyeurisme. En posant le pied sur la dernière marche, une planche se plaignit en craquant légèrement. Mais ce n'était rien en comparaison du projecteur de mille watts qui força Specteur à fermer les yeux et à les protéger de ses mains. Sans compter la sirène stridente qui pinça ses oreilles qu'il boucha du mieux qu'il put en haussant les épaules.

Pris de panique, l'inspecteur Specteur devint statue de sel. Mandant entrebâilla la porte et pointa un revolver dans sa direction. La sirène se tut mais l'éclairage demeura.

— Vous voulez me faire du mal ? chantonna Mandant sur un ton de poupée mécanique.

— Ne tire pas ! C'est moi, l'inspecteur Specteur !

Le commandant baissa son arme mais n'ouvrit pas davantage.

1. Mis à part quelques poils gris ici et là qui prouvaient, hors de tout doute, que la maison n'avait plus vingt ans.
2. Puisqu'il est gras, aussi bien lui en donner le caractère.

— Je suis venu te faire une visite surprise ! lança Spec, gaiement. J'étais inquiet à ton sujet, alors je me suis dit qu'un peu de compagnie te ferait le plus grand bien.

Specteur disait les mots comme ils sortaient. Sans réfléchir. Car il ne fallait vraiment pas réfléchir pour proposer de tenir compagnie à un abcès souffrant d'embonpoint.

— Je ne suis pas seul du tout ! Je m'amuse avec quelqu'un de ma famille ! Hi ! Hi ! Hi !

Inutile d'insister. Mandant était dans une autre galaxie. Spec fit un signe de la main et s'en fut.

— *Nihil addendum est*, déclara-t-il.

Le nez dans l'entrebâillement de la porte, le commandant regarda Specteur s'éloigner en poussant des rires de hyène. Quand l'inspecteur fut hors de vue, il referma à triple tour et sortit son coffre à outils. Tire-clou, marteau et ciseau à froid en main, il entreprit d'ouvrir son tout nouveau joujou : le cercueil.

Il frappa, sua, tira, rota, poussa, péta, fit levier et dans son froc, sans pour autant réussir à ouvrir le couvercle. Durant l'effort, les pires sons graisseux jaillissaient de sa bouche de lard esseulé. Il perdit patience. À plat ventre sur le sol, il tapa des pieds et des poings en couinant dans ses larmes pendant une bonne minute. Puis, il renifla son chagrin en songeant à une nouvelle façon de procéder. Une idée lui traversa le vermis. Il coucha le cercueil sur le dos et disparut au sous-sol. Une pétarade à alarmer tout le quartier envahit bientôt toute la cabane, et Mandant remonta auprès du cercueil, tronçonneuse en main. Il sautillait et riait à travers la fumée bleuâtre en faisant brailler le moteur. Oxyde de carbone aidant, il se retrouva vite étourdi et dangereusement essoufflé. Il se calma et commença à découper le couvercle. Le bran de scie vola, telle une pluie de confettis moisis à un mariage de bourreaux. Une fois le travail terminé, Mandant rangea ses outils, passa un coup de balai et releva le cercueil en position debout en prenant bien soin de ne pas soulever le couvercle. Il recula d'un pas et fixa la boîte, des fourmis plein les doigts. Tout était prêt. Il ne restait plus qu'à ouvrir. N'y tenant plus, il prit le couvercle à deux mains et l'arracha d'un seul coup. Le sol l'accueillit avec un bruit sourd.

À l'intérieur du cercueil, un squelette, vêtu d'une blouse qui avait probablement déjà été blanche, semblait sourire à la mort. Ses mains jointes retenaient un chapelet terni par l'humidité. Ému jusqu'à la moelle, Mandant essuya une larme et enlaça la boîte de tout son suif.

— Comme je suis heureux de te revoir, maman !!! Hi ! Hi ! Hi !

DIX

Un gros crachat specteurisé humecta l'une des pages de la Bible et la porte de la Taverne Occulte s'ouvrit aussitôt. De son perchoir, le gros hibou borgne, bouffeur de curieux, fit un clin d'œil à Specteur qui plongea dans la foule. Parce qu'il y avait vraiment foule ce soir-là.

Spec réussit à dénicher un tabouret au comptoir, tout près de la sortie, et commanda une belle grande bouteille de Maiissìhkh. Il avait tellement soif qu'il dut l'alléger de moitié avant de bénéficier de ses effets anesthésiants.

Des « Ouaaaaaiiis ! ! », « Oooohhh ! ! ! », « Aaaaahhh ! ! » et « Meeeeeerdeeeeeuuuuu ! ! ! » occultaient le silence. Specteur avait beau soulever le menton jusqu'au toupet, il n'arrivait pas à discerner ce qui méritait autant d'entrain vocal. Il s'envoya une solide rasade de Maiissìhkh dans l'œsophage et grimpa sur son tabouret. Son équilibre établi, il crut reconnaître quelque chose qui ressemblait étrangement à une allée de bowling. Une épaule le fit basculer et il dut vite remettre les pieds sur terre.

À quatre bouteilles de lui, le général Néral sirotait un cigare en fumant un verre de Maiissìhkh[1]. Spec joua du coude jusqu'à lui.

— Général ! Général Néral !

Néral se retourna et son genou gauche flancha. Il faillit tomber mais Specteur le retint.

---

1. Il aimait varier.

— Ça alors, insp...pwasbleuuurp!!! éructa le général. Inspecteur Sc... Skep... Skeptezeur... Comment... ça... ça va?

— Comme vous voyez, je me porte bien.

— Comme je vous vois... présentement... vous vous portez... doublement bien!

Ce n'était pas la boutade du siècle mais le Maiissìhkh aida Specteur à trouver un rire ou deux.

— Qu'est-ce qui se trame, ici, ce soir? demanda Spec. On dirait du bowling mais je n'entends ni le bruit des boules ni celui des quilles.

Le général Néral lui régurgita un long galimatias qui permit à Spec de comprendre, à travers quelques rots, qu'on avait organisé une soirée de *céphaling* pour accueillir les nouveaux suppôts du mois.

Comparativement au bowling, duquel il était inspiré, le *céphaling* se jouait avec des têtes. Humaines, de préférence. La tête humaine, fraîchement coupée et rasée, comptait trois trous qui, à l'instar de la boule de bowling, étaient positionnés en triangle, soient: la bouche et les deux yeux. Bien entendu, elle roulait moins bien qu'une vraie boule. Par contre, les sangs et autres liquides qui s'écoulaient des orbites enfoncées ainsi que du cou, assuraient à la tête une lubrification continue, ce qui la rendait plus glissante et en atténuait la friction.

À la place des quilles, on plantait les jambes des défunts, qu'on avait pris soin de couper au niveau du genou. Le pied demeurait chaussé pour favoriser l'équilibre de la jille[1].

Le bowling traditionnel nécessitant au moins dix quilles, cinq cadavres suffisaient donc pour disposer d'un jeu complet de *céphaling*. À moins, bien sûr, d'avoir la malchance de tomber sur un cadavre unijambiste.

Specteur faussa compagnie[2] au général, dont les phrases risquaient, de toutes façons, de se transformer

1. Jambe-quille
1. Il n'a jamais réussi à chanter cette mélodie correctement.

bientôt en vomissures. Il s'approcha des jilleurs et examina la scène.

L'aire de jeu était délimitée par deux dalots qui recueillaient l'excédent de jus des têtes et jambes. Sous le tableau de pointage, quatre hommes étaient ligotés et bâillonnés. Les joueurs avaient donc accès à des jilles de rechange en tout temps. De plus, il suffisait de planter un objet contondant (de préférence, en bois) dans la chair des séquestrés pour ainsi obtenir un stylo de fortune. Ces encriers humains, quasi inépuisables, fournissaient une encre rouge de qualité.

Au fond de l'allée de *céphaling*, un gosse, tapi dans le noir, était chargé de planter les jambes. Quant au retour des têtes, il s'effectuait par l'entremise d'un tapis roulant. C'était très bien organisé.

— *Alii ludunt, laborant alii...*, soupira Specteur.

Une tête revenait, justement. Le joueur qui l'agrippa était en tête. À en juger par la hauteur à laquelle il la tint avant de prendre son élan, on pouvait même dire qu'il était en tête à tête. Il fit quelques pas, balança la tête vers l'arrière (la tête-boule et non la sienne) puis l'envoya de toutes ses forces au fond de l'allée. Les dix jilles tombèrent d'un seul coup. Des cris, dont plusieurs de protestation, fusèrent de partout. Du coup, on ne distingua plus un seul mot, et une cacophonie insupportable s'installa dans la Taverne Occulte. Un colosse monta sur une table et demanda le silence. Quand il put placer un mot, Spec connut enfin le motif de ce tumulte.

Un joueur en avait tout particulièrement contre le meneur. Selon le récalcitrant, il était injuste, voire déloyal, qu'il utilise toujours la même tête. Pour que les chances fussent équitables, il eût fallu qu'il utilise la tête qui se pointait la première sur le tapis roulant. Attendre la suivante, c'était tricher au nez de tous.

Le meneur se défendit. S'il attendait cette tête-là, c'était parce qu'elle lui semblait plus confortable. Voilà tout. Mais il mentait. Car la tête préférée du meneur avait un avantage sur les autres. Elle était dotée d'une protubérance nasale telle qu'elle aurait pu faire tomber toutes les jilles à l'intérieur d'un rayon de dix kilomètres.

On lui signifia cette différence avantageuse mais il prétendit ne jamais l'avoir remarquée. Il n'en fallait pas plus pour que le bordel reprenne. On le traita de joyeux servant de messe, de nonne à cornettes, d'évêque mitré et même de barbe à pape ! Ce qui est très, très blessant pour un disciple du diable. On gueulait si fort qu'on eût dit un champ de bataille doublé d'un tremblement de terre.

Les tympans de Specteur commençaient à battre comme les voiles d'un navire au milieu d'une tempête. Il se sentait violemment agressé par ce tapage orageux et n'en pouvait plus. Excédé, il dégaina son .666 et fit éclater le nez controversé. Le vacarme se transforma soudain en un brouhaha interrogatif, et tout le monde se tourna vers Specteur qui rengainait sagement son pétard.

— La prochaine fois, hurla-t-il, si vous avez besoin d'un arbitre, appelez-moi, bande de tarés !!!

Il quitta la Taverne sans ajouter un mot, ni même une virgule.

Dehors, la nuit était glauque. Le pas bilieux, l'inspecteur Specteur fonça dans un pan de brouillard. « Qu'est-ce que c'est que cette putain de ouate de saloperie de merde !!! » songea-t-il. Il n'y voyait pas à dix centimètres tellement le voile blanc était dense. Tant pis ! Sa Renault 5 devait être là, quelque part, sur la gauche. À tâtons, les yeux plissés par l'effort, il s'avança lentement mais sûrement vers l'impatience. Il avait fait une dizaine de pas à l'aveuglette lorsqu'il se sentit violemment poussé par derrière. Les deux bras étendus, il tenta d'amortir sa chute, mais avant même d'atteindre le sol, il embrassa une borne-fontaine.

— Aïe !!! Ouille !!! Mon nez !!! Putain de merde de chiasse de chapelet de couilles !!!

Il se releva en vitesse et serra les poings en regardant autour de lui.

— Qui est le trouduc qui m'a poussé!!!? Allez, salaud, approche que je te remplisse la gueule de jointures!!!

À deux millimètres de son oreille gauche, une voix douce et feutrée murmura:

— Ça fait mal, hein?

Specteur sursauta mais reprit vite ses sens et surtout son .666 qu'il soulagea d'une trentaine de balles en direction de la voix. L'écho du dernier coup de feu s'éloigna et laissa place à l'ombre d'un doute. Spec n'était pas certain d'avoir atteint la cible. Il n'avait entendu aucun cri de douleur, aucun bruit de chute. Du bout des pieds, il scruta le sol, à la recherche d'un corps inerte. Rien dans un rayon de cinq mètres.

Un rire suave et envoûtant coula dans son dos. Spec se retourna en vitesse et crut distinguer un mouvement dans le brouillard. Comme si une masse le remuait, s'y faufilait en le dissipant.

Le rire était maintenant au-dessus de lui. Specteur releva la tête.

— Qui est là? demanda-t-il en n'espérant aucune réponse. Montre-toi et je te montrerai de quel brasier je me chauffe, sale trouillard!

En guise de riposte, Specteur eut droit à une baffe titanesque qui le fit tourner sur lui-même, lui rappelant combien il avait toujours détesté ce jouet stupide qu'est la toupie. Étourdi, il tituba sur place tout en prêtant l'oreille aux déplacements de son adversaire. Le rire tournait autour de lui. Il en était devenu contagieux. En effet, Specteur avait maintenant les yeux vides et ricanait en harmonie avec le boxeur invisible.

Il tournait sur lui-même et accélérait au même rythme que son rival. Il se sentait comme le poteau central d'un carrousel. Mais la similitude avec le manège s'arrêtait là, puisqu'au bout d'un moment, une pluie de coups s'abattit sur lui. On le frappa dans le ventre, dans le dos, dans le visage, derrière les oreilles... Et Spec ne voyait personne ! Son regard se tournait-il sur la droite, qu'il recevait un coup sur la gauche ; il visait à gauche, le coup venait de la droite. Il conclut qu'un homme invisible s'amusait à le rosser en lui tournant autour comme un putain de moustique.

Le bombardement terminé, le rire s'arrêta et Specteur se laissa tomber sur le dos. Il était épuisé. Son corps avait maintenant le relief d'un sac de pommes de terre. Logique : pas un millimètre carré n'avait été épargné. Tuméfié de la tête aux pieds, Spec demeura immobile et attendit les bienfaits du satanisme.

Pendant que ses tissus se régénéraient et que sa peau retrouvait une couleur normale, Specteur entendit à nouveau la voix de l'homme invisible.

— Dilleux Lepaire daigne te laisser une dernière chance, parce qu'il est miséricordieux. Il t'offre de te racheter. Il est prêt à effacer tes péchés et à te faire une place de choix dans son royaume. Mais il faut que tu renonces au mal et à Satan.

L'inspecteur Specteur rétorqua aussi promptement que s'il avait été pétant de santé.

— Eh bien, tu peux dire à Dilleux Lepaire de se fourrer un ange dans le cul, même s'il est le plus grand faux cul que je connaisse ! Jamais je n'abandonnerai Satan ! Et si jamais je le faisais, ce ne serait sûrement pas pour m'associer à pire que lui !

— Tant pis pour toi. Dilleux a de grands desseins pour éliminer le mal de la surface de la terre, tu sais. Des desseins infaillibles. Il ne pourra donc pas t'épargner. C'est dommage, car tu étais un élu.

— *Omnia homini, dum vivit, speranda sunt !* cracha Specteur.

Il sentait ses forces revenir et avait, lui aussi, de grands desseins. À commencer par voir ce connard invisible et le hacher en six cent soixante-six morceaux.

— Dilleux va bientôt amorcer la deuxième phase de son plan, poursuivit l'invisible. Tu n'as aucune chance d'en sortir vivant.

— Quelle était la première phase ?

— Je ne puis rien te révéler.

— Tu me fais rire ! lança Specteur. Dilleux ne peut pas m'éliminer, et tu le sais bien.

— Oh que si ! Il a trouvé un moyen très original de te faire disparaître. Un moyen qui te fera regretter de ne pas t'être rangé de son côté.

Les muscles encore quelque peu endoloris, Specteur réussit tout de même à se relever.

— Si tu te rendais visible, dit-il, je pourrais peut-être envisager ta proposition. Mais, pour l'instant, j'ai l'impression de parler dans le vide avec un type dont j'ignore s'il a une mine patibulaire ou l'allure d'une danseuse du ventre.

— Il m'est impossible de devenir visible. L'invisibilité est mon statut éternel.

— Comment t'appelles-tu ? Ton nom n'est sûrement pas invisible ?

— Ce n'est pas vraiment un nom… On m'appelle le Ceint-Tespri.

ONZE

Ré n'était pas à la maison. « Qu'est-ce qu'un curé fout dehors à une heure pareille ? » se demanda Specteur. Il était quand même quinze heures ! « Pouâââttt ! Pouââââââttt ! » Un corbillard klaxonnait derrière lui. Ré en descendit suivi de sa fidèle bonne, Adèle, qui marchait comme s'il[1] avait un chameau entre les deux jambes.

— Spec ! ! ! Ça alors ! Tu parles d'une bonne surprise ! Il y a des lunes qu'on s'est vus, mon vieux !

— C'est une répétition générale pour ton enterrement ou quoi ? demanda Specteur en désignant le corbillard.

— Non, c'est monsieur Tromcorc qui a bien voulu nous conduire à l'hosto. Adèle était plutôt mal en point.

— Que s'est-il passé ?

Ré tourna la tête.

— Hé ! lança-t-il, hypocritement pimpant. Ta Renault 5 semble pétante de santé, dis donc !

Specteur n'eut pas besoin de ses talents d'inspecteur pour deviner que Ré lui cachait quelque chose. Et pas seulement sous sa soutane.

— Tu me prends pour un évêque ? dit-il. Je te demande ce qui s'est passé avec Adèle et tu me parles de ma bagnole !

---

1. Pour comprendre pourquoi « il » s'appelle Adèle, voir *L'Inspecteur Specteur et le doigt mort*, ou consulter un précis de grammaire friandais.

Le curé s'avoua vaincu.

— Bon, bon, ça va ! Allez, entre, je vais tout t'expliquer.

Un foutoir monumental régnait dans le presbytère. Il fallut enjamber piles de fringues sales, boîtes de pizza et bouteilles vides de vin de messe pour se rendre au salon.

— J'ignorais que ta religion te permettait de tenir un bordel dans ton presbytère, ricana Spec.

— Ha ! Très drôle ! Aide-moi plutôt à déshabiller Adèle au lieu de dire des conneries.

— Pourquoi faire ?

— Je dois le coucher. Il est toujours souffrant. Le docteur m'a dit de lui donner un sédatif et de le laisser se reposer pendant quelques jours.

Docile, Adèle se laissa dénuder et Ré l'étendit sur le lit. Le soubret se tourna sur le côté, bien décidé à ronfler quelques anecdotes à son oreiller. Specteur remarqua aussitôt une série de bandages et de pansements appliqués entre les deux fesses du malade. Le curé releva vite les couvertures.

— Mais... hésita Specteur, qu'est-ce...

— Ce n'est rien ! coupa sèchement le prêtre.

— Ré ! Tu... tu... tu ne l'as tout de même pas... euh...

— Non, mais pour qui tu me prends ? s'offusqua Ré. Je suis un prêtre, au cas où tu l'aurais oublié !

— Justement ! rétorqua Specteur.

— Ah, tais-toi, Spec, je t'en prie ! Je me sens assez mal comme ça !

L'inspecteur regretta d'avoir été si bien déplacé.

— Allons au salon, je vais tout t'expliquer.

Le curé nageait dans le malaise. Il pratiquait l'autocannibalisme sur le bout de ses doigts. L'angoisse, la nervosité et la culpabilité éparpillaient les mots dans sa tête. Par où commencer ? Il s'installa à la table de la salle à manger et fixa ses souliers.

— Tu te rappelles, Spec, le jour où j'ai ramené Adèle chez moi ?

— Bien sûr que je me rappelle. Il avait encore ses bandages au visage et avait l'air d'une momie...

— Mais il était si serviable.

— C'est vrai. D'ailleurs je n'ai toujours pas compris pourquoi ce pauvre défiguré t'obéissait au doigt et à l'œil.

— Moi non plus. Mais il semble que ce soit vraiment là l'essentiel de son entendement. Je m'étais bien rendu compte qu'il obéissait à tous mes ordres sans broncher, et c'est ce qui m'avait incité à le ramener chez moi. Mais jamais je n'aurais cru qu'il prendrait tout au pied de la lettre.

Specteur sentit que le chat allait bientôt sortir du col romain.

— Où veux-tu en venir ? demanda-t-il.

Ré se racla la gosier et délimita son territoire à l'aide d'une ligne blanche. Il l'inspira à fond et ses yeux s'écarquillèrent, comme s'il avait voulu en faire profiter ses sens au maximum. Il se mit alors à caqueter.

— Tu sais, je pensais pas... Je pouvais pas prévoir... Si j'avais su... C'est dingue, parce que... Tu vois, j'ai jamais voulu... Il aurait pas fallu... mais... enfin... Oui, bon, d'accord, j'ai eu ma leçon, mais...

— Allons, allons, calme-toi, fit Spec. À t'entendre et à te voir, je sais déjà que, quoi que tu aies fait, tu n'as pas voulu blesser Adèle. Alors sens-toi libre de tout me raconter, je ne te jugerai pas.

Le curé leva les yeux au ciel et se vida les poumons.

— C'était samedi dernier. J'étais triste. J'avais un tel spleen que je me sentais irritable. À vrai dire, je me sentais très seul.

— Pas étonnant avec un Dieu comme le tien. À trop vouloir être partout, il n'est nulle part.

Ré ignora cette dernière remarque et poursuivit :

— Comme je lui avais ordonné de le faire tous les jours, Adèle m'a proposé un apéro à dix-sept heures précises. J'ai fait mine de ne pas entendre. Il a répété. Je n'ai pas répondu. Il a répété. Je me suis tourné pour éviter qu'il me voie pleurer. Il a répété. Je lui ai fait signe de partir. Il a répété. Et... je... Je lui ai dit d'aller se faire foutre...

Une larme se fraya un chemin sur la joue du curé. Spec n'y comprenait rien.

— Et puis ? demanda-t-il.

— Ben... il est parti...

— Mais encore ?

— Tu ne comprends donc pas ?

— Non.

— Je lui ai dit d'aller se faire foutre ! Et il m'a obéi ! Tu te rends compte !!?? IL EST ALLÉ SE FAIRE FOU-TRE !!! PAR TROIS HOMMES !!!!!

L'inspecteur Specteur respira très fort et très profondément. Il ne voulait surtout pas exploser de rire au visage de son pote. Debout, les mains sur les hanches, Spec réussit à placer un petit « Je vais aux toilettes » entre deux spasmes du diaphragme.

Il s'enferma en prenant soin de bien verrouiller la porte. Assis sur la cuvette, pantalon relevé, il riait silencieusement en se bâillonnant à deux mains. Ses bronches sifflaient et chuintaient comme celles d'un asthmatique dans un silo à céréales.

Quand Specteur revint, les sens calmés par la quiétude des toilettes, Ré n'était plus là. Il ne devait cependant pas être loin puisqu'il s'était versé un kil de rouge et avait déposé une tisane en retrait sur la table. Spec l'entendit au loin.

— Tu restes couché ! criait le prêtre. C'est compris ?

Puis il réapparut dans la salle à manger.

— Que s'est-il passé ? demanda Specteur.

— J'ai mis de l'eau à chauffer et je suis allé voir si tu étais revenu des toilettes. Quand je suis retourné à la cuisine, Adèle était là, debout, en plein milieu de la pièce !

— Qu'est-ce qu'il faisait là ?

— Je sais pas. Il m'a dit qu'il obéissait aux ordres. Il est déréglé, le pauvre.

Spec jeta un coup d'œil à la tisane.

— C'est pour moi ?

— Oui.

— On est loin de la Taverne Occulte…

Le prêtre s'assit et fit apparaître une autre ligne sur la table.

— Encore !!?? Tu vas te défoncer le cerveau, vieux !

La nouvelle ligne était perpendiculaire à la première. Les deux formaient un signe de croix.

— Voilà, dit-il, c'est la totale…

Le prêtre plongea, narine première, et aspira au péché. L'inspecteur Specteur sentit que son ami avait grand besoin de réconfort. Ce pauvre innocent d'Adèle était bien serviable, certes, mais le curé avait horreur d'abuser des pauvres d'esprit. Car selon lui, fait non négligeable, le royaume des cieux était à eux.

— Adèle est bien chanceux d'habiter avec toi, avança Specteur.

— Comment ça ?

— Imagine un peu s'il était tombé sur un maniaque, un exploiteur sans pitié ! Un mec qui lui aurait dit : « Adèle, lave le plancher ! Adèle, lèche mes bottes ! Adèle, fais-moi une pipe ! Adèle, tue ma femme ! » Si tel avait été le cas, tu aurais de sérieuses raisons de t'en vouloir. Mais, pour l'instant, tu n'as rien de si important à te reprocher.

Encouragé, Ré releva un peu la tête.

— Ce n'est pas ta faute, continua Specteur. Tu ne pouvais pas deviner.

Le prêtre se sentait déjà un peu mieux. Il sourit en poussant la tisane vers son ami. En étirant la main pour s'emparer de la tasse, Spec frôla une Bible. « Psssshhhhhhiiiiiiittttttt !!! »

— Merde !

Il s'était brûlé. Il ramena la main vers sa bouche et suça la plaie.

— Saloperie de Bible de connerie de merde !!! s'écria Specteur. J'oublie toujours !!!

Après la période de réconfort dont il venait d'être gratifié, Ré se voyait mal faisant la morale à son ami quant à ses propos vis-à-vis du Saint Livre. Il se contenta de le ranger dans sa bibliothèque.

— Pardonne-moi, Spec, pardonne-moi. Je n'aurais pas dû la laisser sur la table.

Spec se ressaisit.

— Ce n'est rien, voyons, ce n'est rien... *Ego et tu amici sumus.*

Il examina sa main. La blessure était minime. Il souleva sa tisane et invita le prêtre du regard.

— À la tienne, Ré ! Et sois sans crainte, tu es loin d'être un salaud !

Ré leva son verre de rouge et sourit franchement. Les deux amis trinquèrent en silence. Dès la première gorgée, Specteur sentit une brûlure au fond de son gosier. Il allait signifier cet inconvénient au curé quand un rideau noir tomba devant ses yeux. Il tenta de se lever pour retrouver ses sens et s'effondra aussitôt, plongé dans un profond coma.

DOUZE

Une voix caverneuse, qu'on eût dit trafiquée tellement elle était grave, rebondit sur les murs du repaire de Dilleux Lepaire. À première ouïe, elle n'avait rien d'anormal bien qu'elle semblât jaillir d'une gorge dotée de cordes vocales grosses comme des guinderesses. Ce qui la singularisait, c'est qu'elle émanait de la bouche d'un enfant de huit ans. Enfin, en apparence. Dilleux l'écouta religieusement.

— Voilà, c'est fait, dit le gosse en allumant une pipe. J'ai reconstruit le dispositif émetteur de volonté.

Il aspira quelques bouffées et, à la façon d'un magicien, souleva d'un coup sec le voile qui cachait la machine en question. Il sourit. Son regard sage et assuré contrastait avec son visage rose et le duvet d'ange blond qui recouvrait sa tête.

— Le clone n'attend plus que vos ordres, poursuivit-il.

Dilleux s'avança et regarda cette machine, pas plus grosse que ça, comme s'il s'était agi d'un nouveau-né baignant encore dans son placenta. Il avait les larmes aux yeux.

— M. Soglas, vous êtes génial, sanglota-t-il.

— Oh, ce n'est rien. Grâce à toutes les données que vous m'avez fournies, ce fut un jeu d'enfant.

— Allons, allons, ne soyez pas modeste, très cher allié, et souffrez que je vous considère comme étant l'une de mes plus brillantes créations[1] ! Vous avez réussi, en moins de six mois, à remplacer Zirprus, votre prédécesseur. Vous avez su décoder avec brio et génie les quelques notes qu'il avait gribouillées ici et là. Grâce à vous, je retrouverai le contrôle de mon œuvre, de mon fils !

Soglas ralluma sa pipe et hocha la tête en signe de compréhension.

— Une petite chose cloche toujours, cependant.

— Qu'est-ce donc, cher ami? demanda Dilleux, qui ne s'attendait pas à une mauvaise nouvelle.

— Votre œuvre ou votre fils, si vous préférez, ne répond plus aux ordres envoyés sur sa fréquence « Gézu Kri ».

— Quoi ? Vous voulez rire ?

— Pas du tout. Sa volonté, enfin son cerveau semble avoir été lessivé par de nombreux mois de servitude sous un autre nom.

— Vous voulez dire que…

— Eh oui… J'ai fait le test. Il n'obéit plus que si les ordres lui sont transmis au nom de « Adèle ».

Dilleux tourna brusquement sur lui-même et cacha son majestueux visage entre ses longues mains.

— La honte me transperce le cœur mieux que ne le ferait la flèche d'un sioux athée.

— Ne le prenez pas comme ça. L'important, c'est que votre mission soit menée à terme.

— Vous avez raison, fit Dilleux en se ressaisissant. Voyons le bon côté des choses. Alors, cette substance avec laquelle il doit empoisonner l'inspecteur Specteur, combien de temps sera-t-elle efficace ?

Soglas plongea sa main de gamin dans sa poche et en sortit un minuscule flacon de verre.

1. Après moi, bien sûr.

— Je n'ai réussi à obtenir qu'un seul poil de la Bête. C'est qu'elle n'en perd qu'un ou deux par siècle. Cette modeste acquisition ne m'a pas permis de fabriquer une toxine très puissante. Mais nous sommes quand même assurés de garder l'inspecteur Specteur dans un état comateux pendant presque six mois.

— Voilà qui sera bien suffisant.

TREIZE

La chambre 222 de l'hôpital Cœur-du-Grand-Nain était bien gardée. Un homme, posté devant la porte, mitraillette en main, réservait une séance d'euthanasie gratuite à quiconque tenterait de déranger l'inspecteur Specteur pendant son coma.

Une infirmière, plutôt balourde, s'approcha en poussant un chariot garni d'alléchants petits plats. Tel un cabot de Pavlov, le garde saliva en entendant le grincement des roulettes. Il posa son cul sur une chaise et l'infirmière glissa le repas sous son nez.

— Je vais voir comment il se porte, dit-elle en se fouillant dans le museau.

— Mmmmfgrussflllip, répondit le garde, la bouche déjà pleine.

La chambre était calme. À peine entrouverts, les rideaux laissaient passer un mince trait de lumière qui sciait le lit de Specteur en deux. L'infirmière alluma et se planta devant le miroir. Elle se prit les seins à deux mains et posa avec toute la grâce que peut offrir une top model en forme de quille accidentée.

— Miroir, miroir, chantonna-t-elle, dis-moi qui est... qui est l'abruti qui m'a foutu un corps pareil !

Elle eut une moue défaite, laissa retomber ses seins sur ses genoux et s'approcha de Specteur.

— Alors, inspecteur, toujours aussi bavard ?

Spec resta bien calé dans son coma et ne remua pas une cellule.

— Tant pis ! On va au moins voir si t'as du cœur…

L'infirmière lui prit la main et lui tâta le pouls. Elle lui tenait le poignet depuis à peine trente secondes quand elle remarqua qu'une tente avait poussé au milieu du lit.

— Merde ! s'écria-t-elle. Encore ! Ce type est un véritable obsédé sexuel, ma parole !

La voyeuse admirait si bien le paysage qu'elle en oublia le pouls.

— À chaque fois, c'est pareil ! Je lui effleure à peine le poignet et le voilà qui gonfle ! Et aujourd'hui, ça me semble encore plus sérieux.

Une idée folle lui traversa le slip. Elle glissa la main sous les couvertures pour tâter le terrain de jeu. C'était du béton ! ! ! Doux, mais quand même du béton ! Armé, qui plus est ! Elle ramena la main vers sa bouche, honteuse des magnifiques perversités qui lui chatouillaient la femme et sentit l'homme. Ses sens étaient aiguisés à en lacérer l'espace. Elle flotta jusqu'à la porte, verrouilla sans bruit et retourna au lit avec la ferme intention de mettre en pratique les méthodes enseignées par le coma sûtra.

D'une main fébrile, elle souleva la toile du chapiteau afin d'en dégager le pieu central. À en juger par son léger mouvement de balancier, la pression et les pulsations étaient plus que normales. L'infirmière dégusta des yeux. Elle était fin prête pour les premiers soins. Elle fit glisser son slip jusqu'au sol, grimpa sur le lit et s'assit aux premières loges.

— Ouuuuuaaaaaaaahhhhhhhh ! lança-t-elle en guise de premier diagnostic. Ce qu'il se porte bien ! ! !

On frappa à la porte.

— Ça va ? cria le garde.

— Oui ! Ouiiii ! hurla l'infirmière. Je change son sé… hmmmppff ! son sérum ! ! !

Jamais son bassin ne s'était senti aussi jeune. Il y avait tellement longtemps qu'elle n'avait été visitée qu'elle en avait oublié la profondeur de l'acte. Le contrôle absolu du feu était entre ses jambes. Elle poussait un peu, beaucoup, retenait, sortait, fonçait, enfonçait, bifurquait, tournait, parfait ! ah ouais, parfait ! Plus rien n'existait. Plus rien que cette énorme seringue qui la dopait et la jouvençait.

Un spasme la tirailla du nombril au coccyx. Elle bomba le coffre, grinça des dents et cracha un râlement qu'elle étouffa du mieux qu'elle put en retenant son souffle. Au même moment, elle sentit un jet chaud lui arroser les entrailles. Les yeux fermés, elle savoura les envahisseurs en ronronnant de plaisir.

— Vous venez souvent ici ? demanda Specteur d'une voix endormie.

L'infirmière bondit hors du lit et, tout en cherchant son slip, se mit à faire du slalom entre le fou rire et la crise de larmes. Spec leva une main pour lui faire signe de se calmer. Rien à faire. L'infirmière continuait sa danse du flagrant délit.

— Allons, allons, ce n'est pas grave. Calmez-vous.

Elle s'immobilisa mais continua à respirer comme un taureau. Derrière la porte, le garde se fit implacable :

— Vous ouvrez cette porte immédiatement ou je la défonce !

— *Aliquis januam percutit*, fit Spec.

La pauvre violeuse de comateux courut à la porte.

— Qu'est-ce qui se passe ici ? hurla le garde en pointant sa mitraillette un peu partout.

L'infirmière, accroupie dans un coin, cherchait un moyen de devenir invisible.

— Ce n'est rien, ce n'est rien, dit Specteur. Elle a seulement essayé une nouvelle technique de réanimation et ça a marché.

— Inspecteur Specteur ! Ça alors ! Vous êtes revenu ! !

Voyant la menace de réprimande écartée, l'infirmière s'approcha du lit.

— Eh oui, fit-elle hypocritement. N'est-ce pas extraordinaire ? Je me demande bien comment j'ai fait.

— Justement, comment avez-vous fait ? demanda le garde, ébahi.

— Je lui ai tout simplement pris le pouls... c'est tout...

Specteur n'entendait rien à cette frénésie.

— Putain ! Vous semblez tous très surpris de me voir éveillé ! Je n'ai quand même pas dormi pendant un an !

— Non, mais pendant au moins cinq mois.

— Cinq mois et treize jours, précisa l'infirmière.

Spec eut un étourdissement qui faillit le replonger dans le coma. L'infirmière, le sentant défaillir, lui donna un peu d'eau.

— Comment est-ce arrivé ?

— On l'ignore, avoua le garde. Tout ce qu'on sait, c'est que vous étiez chez Ré, le curé.

Tout lui revint en mémoire d'un seul coup. Comme un coup de massue dans le cortex.

— Mais vous n'avez plus rien à craindre, poursuivit le garde. Il est en prison et bien gardé.

— QUOI ! ! ! ?

Merde ! Ré était en prison ! Specteur devait le sortir de là au plus vite ! Il se leva comme s'il venait de passer une bonne nuit de sommeil et ordonna qu'on lui donne ses vêtements.

— Mais... vous n'êtes pas en état de...

— Mes vêtements et que ça saute, bordel de cul-de-jatte de merde de gnou pourri de mes deux ! ! !

Avant de franchir la porte, Spec s'informa :

— Où est ma bagnole ?

— Dans le talon gauche du Grand Nain.

— Très bien ! Au revoir et merci encore !

— Inspecteur Specteur !

— Quoi ! ! ! ? hurla Spec, pressé de déguerpir.

— C'est à vous ça ? demanda le garde en brandissant un slip.

QUATORZE

« Trois. Voilà combien ils sont. Trois. Le Père, le Fils et le Ceint-Tespri. Moi, je suis seul. »

Ré se parlait. Parfois dans sa tête, parfois à voix haute. Il ne voulait pas devenir cinglé. Quand on ne veut pas devenir cinglé, on se parle à voix haute, c'est instinctif. Comme respirer.

« Trois. Trois semaines. Trois semaines déjà que je n'ai rien avalé. »

Ré se parlait. Il était d'ailleurs le seul à pouvoir le faire. Mandant avait dressé tout le corps policier contre lui. C'était lui le salaud qui avait empoisonné l'inspecteur Specteur, qui l'avait plongé dans le coma. Plus Specteur dormait, plus Ré y goûtait.

De semaine en semaine, les traitements avaient grandi en cruauté. Au début, on l'avait tout simplement isolé, livré à lui-même, condamné à rien. Il n'avait donc droit à rien, sauf à la bouffe. Le reste du temps, il le passait sans aucun stimulus extérieur. Pas de copain de cellule, pas de visite, pas de musique, pas de livre, rien que des murs et des barreaux.

Il les fixa longtemps, les barreaux. Si longtemps qu'il délira. Il se crut soudain enfermé dans la caisse de résonance d'une guitare. Les cordes étaient barreaux. Barreaux musicaux. Qui jetaient constamment les trois même notes : Ré - Ré - Ré. Monocordie. Monotonie.

Deux mois plus tard, on lui avait accordé un peu de compagnie. Un peu. Quinze chiens. Suffisamment gros pour ne pas passer entre les barreaux. Les prestigieux barreaux. Devenus monuments ultimes de son incarcération. Il avait passé trois jours à se débattre pour gober une maigre bouchée de gruau rance. Puis, on avait sorti les chiens. Pour les remplacer par des babouins. Heureusement, ils n'avaient pas fait la journée. Leur agressivité mettant la vie du prêtre en danger. On ne voulait surtout pas sa mort. On craignait trop Specteur.

Au quatrième mois, il avait ses trois repas par jour et ses trois séances de fouet. Trente coups chacune. Cela dura une semaine. Il eut deux semaines pour cicatriser. Dormant dans son sang. S'éveillant dans son pus. Se nourrissant de viande avariée qu'il purifiait en la séchant au soleil, sur le rebord de sa minuscule fenêtre. Ré souffrait. Cela faisait mal, mais cela faisait mâle. Ça endurcissait. Ça virilisait.

« Trois. Ils sont trois. Trois. Il y a trois. Trois semaines que je n'ai rien avalé. »

Ré se parlait. « Tout va bien. » Pour la première fois, il se répondait. « Tout va bien, t'inquiète. » Pour la première fois, il était optimiste. « Tout est sous contrôle. Suis-moi. » Était-ce Dieu qui lui parlait ? Non. Dieu ne parle pas. Il fait toujours semblant de rien. Quand il ne fait pas semblant de tout. Et il n'y avait pas de lumière au fond du tunnel. Pour rencontrer Dieu, il faut un tunnel et une lumière. Il n'y avait rien de tout cela.

Un ange… (Putain qu'est-ce qu'y t'ont fait ! !) …un ange le suivait sans pouvoir le toucher… (Ah les salauds ! Qui a ordonné ce traitement barbare ! ! ? inhumain ! ! ? ! inquisitorial ! ! ! ? ? ! !) Un ange moyennement cornu avec un cœur grand comme… (Qu'on l'amène à l'hosto sans tarder ! !) …comme le cœur du Grand Nain. (Qu'on lui donne la plus belle chambre du Cœur-du-Grand-Nain ! ! !)

Ré ne se parlait plus. Il était en sécurité. En toute sécurité, enfin. Il parlait à un spectre, un Spec, un ami.

QUINZE

Les poings serrés, le ventre gorgé de rage à la remémoration des confessions de Ré, l'inspecteur Specteur se dirigeait, d'un pas résolu, vers le commissariat dans le but de servir un uppercut bien mérité à ce salaud de Mandant.

Sitôt entré, les « Inspecteur Specteur ! Vous êtes revenu ! », « Inspecteur ! Quelle joie de vous retrouver ! » et « Que vous avez bonne mine, inspecteur ! » fusèrent de partout. Mais Spec n'entendit que le vrombissement de la vengeance. Il traversa tout ce beau monde qui se rendit vite compte que ce n'était pas le temps de lui faire guili-guili. En passant devant la secrétaire Crétaire, il ne l'entendit pas non plus qui disait : « Vous ne pouvez pas entrer, inspecteur. Le commandant est occupé. » Il pénétra dans le bureau de Mandant et referma derrière lui.

Aucun hippopotame en vue. Au fond de la pièce, debout devant la fenêtre, un grand monsieur très mince regardait bouger la ville. Qu'est-ce que ce type faisait là ? Était-il chargé d'encaisser les baffes destinées à Mandant ? Specteur s'approcha.

— Hé ! Ho ! Vous savez où se trouve le commandant Mandant ?

L'homme haussa les épaules pendant une quinzaine de secondes et les laissa retomber comme un vulgaire pantin. « Un autre petit rigolo », se dit Specteur. Il s'avança encore avec la ferme intention d'en apprendre davantage sur ce nouveau venu et sur l'art de faire parler un étranger avec ses poings. Avant que Specteur ne le retourne de force, l'homme lui fit face et sourit. Spec failli tomber sur le dos et improviser un infarctus. C'était Mandant ! Le commandant Mandant ! Avec cinquante kilos en moins !!! Cinquante !!! Comment avait-il pu perdre une si grande collection de lipides ? S'était-il endormi sur un barbecue ? Avait-il nourri le Tiers-Monde à la suite d'une liposuccion ? C'était inouï ! Jamais Specteur n'aurait cru que Mandant puisse maigrir à ce point à moins d'avoir contracté une douzaine de cancers.

— *Inimicus*, grogna Spec.

— Bonjour inspecteur Specteur ! lança le jadis pansu sur une note enfantine. Je suis moins lourd. Regardez !

Du fond de la poche de son pantalon, il tira une pierre qu'il lança devant lui. Elle tomba sur le chiffre huit, en plein milieu d'une figure de marelle tracée sur le plancher. La langue sortie, Mandant sauta, sur un pied, sur l'autre, sur les deux avant d'atterrir, en cygne, sur le huit. Il se pencha pour récupérer la pierre et Specteur en profita pour lui saluer le coccyx d'un sympathique coup de talon. Mandant piqua du nez, roula sur son épaule droite et se retrouva debout en une demi-seconde.

— Hi ! Hi ! Hi ! fit-il en rougissant devant le regard assassin de l'inspecteur.

Sans se soucier des règlements sévères de la marelle, Spec traversa l'aire de jeu et se planta à deux cils de Mandant. Le maigrelet nouveau perdit aussitôt son sourire et sa bouche forma une triste parenthèse. Specteur lui administra une droite bien sentie en plein ventre.

— Ça c'est pour avoir torturé mon copain Ré, dit-il pendant que Mandant se penchait pour ramasser son souffle.

Spec enchaîna avec un double crochet au visage, suivi d'une savate en plein torse qui propulsa Mandant sur le mur en lamentations.

— Et ça, c'est pour me dérouiller de mes cinq mois de coma !

Assis par terre, plié en huit, Mandant chialait comme un veau qu'on marque au fer rouge.

— Dorénavant, sale débile, considère-toi comme un suspect important dans cette enquête ! cria Spec en claquant la porte.

Deux secondes plus tard, Mandant se releva, sourire aux lèvres, et reprit sa partie de marelle comme si de rien n'était.

SEIZE

— Alors, voilà. Je n'en sais pas plus.

Mademoiselle Zelle venait d'offrir à Specteur un rapport fort détaillé sur ce qui s'était passé durant son coma. Ainsi apprit-il que, du jour au lendemain, Mandant s'était mis à fondre. Comme ça. Sans raison. Mais la pire nouvelle était la disparition d'Adèle. Disparu depuis le premier jour. Pauvre Ré ! Il allait se retrouver à nouveau seul dans son morbide presbytère. Enfin, on retrouverait bien sa bonne un jour !

Fido, le fidèle perroquet, quitta Specteur pour se poser sur l'épaule de Zelle. Lové contre la chair tendre de son nouveau perchoir, il roucoulait de confort.

— Bôôôôôôôôrrrrrrrrrrkkkkkkk...

— Putain ! C'est le grand amour entre vous deux, on dirait !

— On a appris à mieux se connaître en ton absence...

Zelle et Fido se faisaient des mamours. Specteur les laissa et feuilleta le rapport du médecin légiste. Il avait grandement besoin de se remettre à jour dans cette enquête.

Plus il tournait les pages, plus ses yeux se plissaient. Au bout d'un moment, il poussa un gros rire nerveux.

— Qu'est-ce qu'il y a de si drôle ? demanda Zelle.

— Je suis en train de lire le rapport de Decin et tout m'apparaît encore plus insensé qu'avant mon coma.

Écoute : « Pommier âgé de quatre ans. Squelette : deux mille ans. Le type d'engrais date de cinq ans maximum. » Et le pomiculteur qui me disait que ce pommier n'était pas là la veille. Alors, j'ai résumé tout ça dans ma tête et je me suis dit : « Il y avait donc quatre ans que ce pommier était là depuis un jour... »

Zelle ricana sans conviction.

— C'est plus bouleversant que drôle, fit-elle.

— Entièrement d'accord. Tout cela est trop inhumain. Ça sent mauvais. Ça sent l'œuvre de Dilleux Lepaire. Dément. *Vix intellego.*

Son portable se manifesta.

— Allô !

C'était le Président Zident. Spec en profita.

— Je vais très bien, merci. Et puisque j'ai l'honneur de vous avoir au bout du fil, monsieur le Président, puis-je vous inviter à partager une petite bouteille de Maiissìhkh ? Parfait ! Dans une heure ? D'accord ! Au revoir !

Spec raccrocha et enfila son trench noir.

— Tu vas boire un coup ? demanda Zelle.

— Pas vraiment. Le Maiissìhkh n'est qu'un prétexte. J'ai besoin que le Président me rende un petit service.

— Je t'accompagne ! suggéra Zelle, enthousiaste.

— Non.

La pauvre délaissée baissa les yeux et se retourna vers Fido.

— Bôôôôôôôôrrrrk ! lança le perroquet en signe de compassion.

Spec remarqua deux petites boules tristes sous les sourcils de Zelle mais ne s'en formalisa pas. Car il avait une surprise pour elle.

— J'ai une mission à te confier, dit-il sur un ton détaché.

Une mission... La belle affaire ! Zelle y croyait autant qu'à la mère Noël. Specteur allait sans doute lui confier la garde de Fido jusqu'à son retour. Ou peut-être irait-il jusqu'à lui confier sa lessive? Toute une mission! Elle n'en sortirait peut-être pas vivante.

— De quel genre de mission s'agit-il? finit-elle par demander.

— Viens derrière la maison, je vais te montrer.

Intriguée, Zelle le suivit en espérant un peu plus qu'une balade dans la cour arrière. À l'extérieur, Specteur se plaça devant elle de façon à lui bloquer la vue. Il sortit son portefeuille et lui tendit des billets.

— Tiens. Voici dix mille friands.

— Pourquoi faire? questionna Zelle qui commençait à s'exciter un peu plus.

La main levée, Spec lui fit signe d'attendre.

— Ferme les yeux.

Zelle obéit. Le satané cochon en profita pour lui plaquer un coup de babines, ce qui la fit bien rigoler.

— Ne bouge pas.

Specteur fit quelques pas en arrière en maintenant son regard sur les paupières de mademoiselle Zelle. Derrière lui, une grande toile beige était tendue entre deux poteaux. Il se plaça à l'une des extrémités et ordonna à Zelle d'ouvrir les yeux.

— Voici ta mission, débita-t-il rapidement afin de l'empêcher de se lancer dans une série de questions dictées par la nervosité[1]. Tu vas me filer ce putain de fils de pute de salaud de merdeux de Mandant tous les bordels de chiasse de merde de jours!

Zelle ouvrit la bouche mais Specteur ne la laissa pas évacuer un son.

— Et pour ce faire, poursuivit-il, voici ce que je t'offre.

D'un coup sec, il fit tomber la toile, et les yeux de Zelle furent envahis par l'image d'une mignonne petite Renault 5 toute blanche.

Un long cri, semblant provenir de dix parachutistes chutant sans parachute, jaillit du fond d'une Zelle plus

1. Je n'ai pas osé écrire « féminité ».

qu'émue. De si beaux décibels ne pouvant durer éternellement, elle sauta au cou de Specteur et, du bout de la langue, lui caressa une molaire ou deux. Spec ne se sentait déjà plus maître de ses centimètres. Il dut donc la repousser, sans quoi ils eussent forniqué jusqu'à la page cent cinquante-huit.

Les deux bagnoles partirent donc à la queue leu leu leu[1] pour se séparer deux rues plus loin. Zelle s'en fut vers la maison de Mandant et Spec fonça direction Taverne Occulte.

Une fois les voitures au loin, un homme masqué jaillit de derrière un buisson. Il fonça vers la maison de Specteur et lança une grosse pierre à travers un carreau.

— Bôôôrrrkkk ! ! ! cria Fido. Au voleur ! ! ! Bôôôôrrkk ! !

L'homme masqué pénétra dans la maison. Il agrippa le perroquet par le cou, le fourra dans un sac et sortit par derrière.

Adèle, empare-toi du perroquet de Specteur et ramène-le à la maison de Dilleux. Adèle, empare-toi du perroquet de Specteur et ramène-le à la maison de Dilleux. Adèle, empare-toi du perroquet de Specteur et ramène-le à la maison de Dilleux.

Adèle avait bien capté le message. Le dispositif à ondes courtes, contrôlant sa volonté, fonctionnait à merveille.

1. Il ne faudrait pas oublier Specteur.

DIX-SEPT

L'inspecteur Specteur était enfin débarrassé du commandant Mandant. Le Président Zident n'avait pas hésité une seconde à lui rendre ce service. Après tout ce que Spec avait fait pour lui…

Personne ne s'était opposé au congédiement du casse-pieds. Tout le monde croyait, au contraire, que Mandant avait atteint un niveau d'incompétence qu'il était difficile d'égaler. Specteur était ravi. Il allait pouvoir mener son enquête sans avoir l'impression d'être le père adoptif de son minable supérieur.

Assis en compagnie de Crétaire, il attendait patiemment de voir Mandant sortir de son bureau, la tête entre les deux jambes, le pied lourd, une trace de botte au cul. Spec désirait voir, de ses propres yeux, ce putain d'attardé quitter le commissariat à tout jamais.

Au bout de dix interminables minutes, Mandant sortit en gambadant et en chantant.

— L'école est finie-euh ! L'école est finie-euh ! L'école est finie-euh !

Un sac d'écolier sur le dos, il passa devant Spec et Crétaire sans les voir, sans rien voir. Le sang de Specteur fit marche arrière. Il se leva. Ses tripes bouillaient de haine. Cette désinvolture de la part de Mandant n'était rien de moins que de la provocation. « Saloperie de merde ! songea-t-il. Si seulement je pouvais encore l'insulter au sujet de son obésité!!!» Avant de sortir, Mandant se retourna et fit un clin d'œil en direction de Specteur.

— Petit salaud!!! cria Spec en dégainant son .666.

Crétaire grimpa aussitôt sur ses talons hauts.

— Inspecteur, nooooon!

Malgré cet avertissement, Specteur fit feu. La balle fendit d'abord l'air avant de fendre l'une des courroies du sac d'écolier de Mandant. Loin d'être traumatisé, le déficient se retourna en ricanant.

— Hi! Hi! Hi! Ça chatouille! Hi! Hi!

— Pollueur d'existence!!! hurla Specteur. J'vais te buter!

Il braqua son arme une deuxième fois, mais Crétaire s'agenouilla devant lui, l'implorant des yeux et de la bouche.

— Arrêtez! cria-t-elle. Arrêtez, je vous en prie!

Le spectacle calma Specteur. Surtout que, de son point de vue, Crétaire lui offrait un corsage qui en valait bien deux. Il rengaina son .666 et sentit son pistolet à femme s'armer à son insu.

— Arrêtez..., répéta-t-elle plus doucement en posant une main sur sa cuisse.

Six policiers, alertés par le coup de feu, arrivèrent au pas de course.

— Qu'est-ce qui se passe? demanda le flic de tête.

Crétaire se releva en vitesse et rajusta sa coiffure.

— Ce n'est rien, dit Spec. Le coup est parti tout seul. Retournez vous branler dans le couloir!

Les flics s'en retournèrent en rigolant. Ils imaginaient toutes les cochoncetés que Specteur et Crétaire s'apprêtaient à faire.

— Parions que le coup va encore partir tout seul..., murmura l'un d'eux.

Un tonnerre de rire ponctua cette remarque et les policiers disparurent.

— Bon ! lança Specteur en pensant : « Enfin seuls... » Je vais aller inspecter le bureau de ce fils de pute...

— Je peux vous aider ? demanda timidement Crétaire.

— Si vous voulez... *Ore rotundo...*

Specteur jouait les indifférents. Mais en réalité, il avait toujours fantasmé sur la dextérité de Crétaire. Si elle pouvait taper deux cents mots à la minute, elle devait sûrement pouvoir le faire jouir plus vite que son ombre. Il n'avait pourtant jamais osé lui proposer une séance de lutte gréco-romaine à nu, désireux qu'il était de ne pas mêler son bouleau au boulot. Maintenant qu'il n'avait plus de supérieur, c'était une autre histoire.

Le couple pénétra donc dans l'ex-bureau de l'abruti. La pièce était sombre, mais ni Spec ni Crétaire ne crurent bon d'allumer. Bien entendu, la première chose à faire était de fouiller les tiroirs du bureau, les classeurs et, finalement, le placard. Mais le radar de Specteur le poussa à procéder dans l'ordre inverse.

— Tiens, un placard..., lança-t-il le plus innocemment du monde. Je ne l'avais jamais remarqué. Je me demande bien ce qui s'y cache.

— Nous devrions peut-être aller y jeter un œil, suggéra Crétaire.

— Excellente idée !!!

Nos deux fouineurs s'y engloutirent aussitôt. Si le bureau était sombre, le placard, c'étaient les ténèbres. Crétaire fit mine de trébucher et tomba dans les bras de Specteur qui fit, lui aussi, mine de trébucher, de sorte que, dans leur déséquilibre, les libidineux heurtèrent la porte qui se referma avant de les laisser choir dans les bras l'un de l'autre[1].

---

1. Ici, l'obscurité totale m'empêche de décrire correctement les ébats à proprement parler. Je préfère donc m'abstenir plutôt que de ne relater que les portions sonores de cet échange de fluides et de vous priver ainsi d'images qui vous auraient probablement incités à une séance d'attouchement, sinon deux.

L'inspecteur Specteur en ressortit avec le pantalon sens devant derrière et Crétaire, le contraire de l'opposé. C'est vous dire si ça en valait la peine.

Le placard ayant été inspecté de fond en comble, c'était au tour des tiroirs du bureau.

— Ça a bougé ! ! ! cria Crétaire.

— Impossible, rétorqua Specteur. Un : je suis stérile. Et deux : ça ne bouge jamais avant quatre ou cinq mois.

— Non ! Là, derrière le bureau ! La chaise a bougé !

— Je vais voir. Surtout, ne bougez pas ! ordonna Spec comme tout homme viril qui se respecte.

Il fit trois pas et demi et la chaise bougea à nouveau. Crétaire sursauta, comme toute femme virile qui se respecte. Elle mit ses mains sur sa bouche. Pa à pa[1], Spec continuait à avancer vers le bureau. Il était maintenant à portée de main. Spec s'apprêtait à le soulever quand le meuble se renversa de lui-même. Un môme de huit ou neuf ans se redressa et tenta de filer. Specteur l'agrippa par une oreille.

— Aïe !

— Qui es-tu ? Qu'est-ce que tu fais là ?

Le gosse se débattait. Et plus il se débattait, plus Specteur lui serrait l'oreille.

— Laissez-moi, j'ai rien fait ! hurlait le gosse.

— Je t'ai posé une question.

— Je n'ai rien fait ! La fenêtre était ouverte et je suis entré, c'est tout ! Je le jure ! ! !

Crétaire eut pitié du pauvre petit.

— Allons, inspecteur, dit-elle, ce n'est qu'un enfant.

Specteur tourna la tête pour rassurer Crétaire sur ses intentions mais il n'en eut pas le loisir. Le môme en profita pour se défaire de cette prise et s'enfuit par la fenêtre.

— Merde de saleté de putain de gosse ! Il m'a échappé ! ! ! Il faut vite le retrouver et l'interroger !

---

1. C'est beaucoup moins bruyant sans les « s ».

Sans perdre une seconde, Specteur s'élança vers la fenêtre. Scandalisée, Crétaire poussa ses cordes vocales à fond.

— Arrêtez, inspecteur !!! braillait-elle en courant derrière lui. ARRÊTEZ !!! Vous êtes devenu fou ou quoi ? Ce n'était qu'un enfant ! Un simple enfant !!!

Spec leva la main et la brandit devant la secrétaire. Elle eut un haut-le-cœur à la vue de l'oreille déchirée.

— Vous croyez vraiment qu'un gosse normal qui n'a rien à se reprocher se serait laissé amputer de la sorte ?

DIX-HUIT

— Alors ? Qu'en dites-vous ?

Decin ne répondit point. Il salivait au-dessus de son microscope. Une dizaine de prélèvements provenant de l'oreille du gosse gisaient, çà et là, tantôt sur une plaquette de verre ou sous une lampe, tantôt dans un vase ou dans une éprouvette. À un morceau, il ajoutait une touche de ceci, à un autre, une goutte de cela. Il en plaçait un sous sa lentille, hochait la tête, en prenait un autre, lâchait un « Oooohhhh ! » inquiétant, reprenait le premier, poussait un « Nooooon ! ! » douteux, en examinait un troisième, marmonnait un « Incroyable... » scientifique et faisait chier l'inspecteur Specteur.

— Alors ? Qu'en dites-vous ? répéta Spec pour la centième fois.

— C'est le Nobel, ma foi ! le Nobel !

Decin courut chercher une fiole dans le frigo. Un coup de feu retentit et une moitié de son microscope obtint un divorce immédiat.

— Aaaaaaaaahh ! s'écria-t-il. Mes recherches ! Mes analyses ! ! ! Qu'est-ce que vous faites là ! ? Vous êtes cinglé ! ! ? Ce matériel vaut une fortune ! ! !

— M'en fous ! J'en ai assez de vous voir faire la cuisine ! Dites-moi ce que vous avez découvert ! Parce que je sais que vous avez découvert quelque chose !

— Bo-Bo ! Bon ! Bon ! Bo ! Bon ! bégaya Decin. Ça va ! Ça va ! Calmez-vous, je vais vous expliquer !

Le temps de reprendre ses esprits et de ravaler une émotion forte, Decin tourna le dos à feu son microscope et put enfin livrer l'essentiel de sa découverte.

— Inspecteur, je ne vous apprendrai rien en vous disant que tout être vivant est soumis, tôt ou tard, à la sénescence.

— Peut-être, mais vous m'en apprendriez un peu plus si vous me disiez ce que signifie le mot « sénescence ».

— Le processus du vieillissement, si vous préférez.

— Ah ! Cette sénescence-là ? Ah oui, je la connais.

— Bon. Vous savez donc que la sénescence s'opère autant sur les tissus internes qu'externes ?

— Oui... enfin, je pense bien. Jusqu'à maintenant, en tout cas, je n'ai jamais vu une nonagénaire courir un marathon.

— Exact !

— Par contre, j'ai déjà vu un bébé rouler en poussette.

— Inspecteur, je vous en prie, un peu de sérieux !

— Excusez-moi, c'était plus fort que moi...

Les yeux de Decin semblaient dire : « Comment peut-on faire des blagues dans un moment pareil ? » Il enchaîna :

— Or, il appert que l'oreille que vous m'avez apportée ne respecte pas cette règle implacable de la science.

— C'est-à-dire ?

— C'est-à-dire que cette oreille est jeune à l'extérieur et vieille à l'intérieur.

Spецteur haussa le menton.

— Attendez une seconde... Vous êtes en train de me dire que ce gosse était un vieux monsieur[1] ?

— Vous n'auriez pu mieux résumer la chose...

Les deux hommes se turent un moment et réfléchirent chacun dans son coin.

---

1. Quand on pense qu'il aurait pu s'offrir des bonbons à lui-même ! Quel monde pourri !

« C'est bien ce que je craignais, pensa Specteur. Il y a de la merde de Dilleux là-dessous… »

« C'est bien ce que je craignais, pensa Decin. Il ne semble pas du tout étonné… »

— Vous vous rendez compte, inspecteur ? Si je découvre comment ralentir le processus du vieillissement — et je sais que je ne peux y arriver sans votre collaboration —, je deviendrai prix Nobel de biologie ! Et l'humanité aura enfin droit à la vie éternelle ! N'est-ce pas génial ! ?

Oh là là ! Que d'âneries ! Que l'on était loin des desseins de Satan ! Mais Specteur ne pouvait quand même pas lui dire qu'il ne trouvait pas, mais pas du tout génial que la bêtise humaine devienne éternelle.

— Pourquoi ne pourriez-vous pas y arriver sans ma collaboration ? se contenta-t-il de demander.

La question emballa Decin au plus haut point.

— Pour la simple et bonne raison que vous seul pouvez retrouver ce gamin et que… que j'ai fait une autre découverte qui m'a révélé des choses à votre sujet.

Specteur fit mine de rien, mais il brûlait de savoir ce que Decin avait appris. Il camoufla sa curiosité en se calant tranquillement sur une chaise.

— Allez-y, dites-moi ce que vous avez découvert et si je puis vous aider, j'en serai ravi.

Spec mentit si bien que Decin s'activa tout de suite. Au bout d'une minute, il était assis par terre entre deux petits bols d'eau et deux rats, dont l'un faisait dodo.

— Qu'est-ce que c'est que ça ? demanda Specteur. Que faites-vous par terre ?

— Asseyez-vous, je vais vous expliquer, lança le médecin en se frottant les mains.

Specteur s'assit en tailleur devant le médecin légiste qui, de temps à autre, posait les mains devant le museau du rat éveillé de façon à ce qu'il ne parte pas en expédition dans le labo.

— Ce bol-ci ne renferme que de l'eau, dit-il en désignant

le bol de droite. H_2O. Et ce bol-là, de la tisane. Celle-là même qui vous a fait sombrer dans le coma.

L'enthousiasme du médecin avait laissé place à une certaine anxiété qui le faisait s'emballer tout autant qu'avant, avec, en prime, un visage crispé comme un chou-fleur.

— Chacun de ces rats n'a bu que dans son bol à lui et voyez le résultat ! L'un est dans le coma et l'autre tout bonnement désaltéré !

— Il y a sûrement une explication logique, affirma presque Specteur.

— Non, non, non et mille fois non[1] ! pleurnicha Decin. C'est de l'eau et de la tisane !

Il ouvrit une boîte. Quatre rats y étaient étendus.

— Regardez ! C'est le cinquième rat qui subit le même sort ! Je n'y comprends rien ! Il est scientifiquement impossible de plonger un rat dans le coma avec de la tisane !!!

— Sauf si on plonge le rat dans la tisane..., blagua Spec.

— C'est à en devenir fou, inspecteur ! À en devenir complètement cinglé !!!

— Calmez-vous, voyons...

— J'ai fait boire de cette tisane à un chien, à un chat, à un furet ! Ils sont toujours aussi vifs et pétant de santé !

Tous ces tests scientifiques étaient beaucoup trop lourds pour un cerveau d'inspecteur. De plus, Spec commençait sérieusement à ressentir le besoin d'ingurgiter une citerne de Maiissìhkh. Impatient, il lança :

— Je ne vois vraiment pas en quoi cela se révèle être une découverte à mon sujet. Soyez plus expéditif, je vous prie.

— Justement j'y arrive, dit Decin en ramenant le rat voyageur à ses côtés. Voyez plutôt...

Il tira trois éprouvettes de sa poche. Deux d'entre elles contenaient un sang très épais et l'autre, un sang

---

1. $1000 \times non = n+(o^{1000}) \times n$

d'une viscosité normale. Decin en brandit deux sous le nez de Specteur.

— V'voyez ces deux échantillons de sang?

— Difficile de les louper.

— Le plus épais est le sang du rat contaminé; le comateux.

— D'accord…

— Le plus clair…, c'est le mien.

Spec releva un sourcil.

— Votre sang?

— Tout juste. Je me suis fait une prise de sang, deux heures après avoir bu la tisane qui a fait sombrer ce rat dans le coma.

— Vous êtes fou! Vous auriez pu y passer, mon vieux!

L'inspecteur s'empara de l'éprouvette et l'examina de plus près.

— Ce sang semble tout à fait normal, non?

— Tout à fait! lança le médecin légiste. Et c'est là que je ne comprends plus.

— *Doctus habetur!* C'est pourtant simple: vous n'êtes pas un rat comateux! C'est tout!

Decin ne savait trop s'il devait admirer Specteur pour son innocence ou pour son hypocrisie. Il étira un bras et ramena le rat fouineur au bercail.

— Le problème, voyez-vous, fit-il en exhibant la troisième éprouvette, c'est que… c'est que ce sang est identique à celui du rat comateux…

— Pourquoi serait-ce un problème? Vous n'avez pas qu'un seul rat comateux, à ce que je sache?

— Justement… Ce n'est pas du sang de rat mais bien du sang humain…

— Du sang humain?

— Oui. Et plus précisément… le vôtre…

La terre cessa de tourner pendant quelques secondes. Specteur devint complètement gaga. Il avait du sang de rat! Qu'est-ce que c'était que cette histoire!?

Ses dents allaient-elles se mettre à pousser ? Allait-il se retrouver avec deux queues ?

— Je l'ai prélevé à l'hosto, renchérit Decin en tirant sur la queue de son rat indiscipliné. Le jour même de votre arrivée.

Spec quitta ses limbes en hochant la tête.

— C'est à mon tour de ne rien comprendre, dit-il.

Le médecin légiste profita de la situation pour agir rapidement. Désemparé, Specteur poserait moins de questions et offrirait moins de résistance.

— Je vais vous faire une prise de sang, lança-t-il en dégainant une seringue. Nous verrons bien de quoi il retourne !

Enfoui au tréfonds de ses préoccupations, Specteur ne s'opposa pas au médecin qu'il avait, de toute façon, à peine entendu. Sa manche était déjà retroussée, son pli de coude désinfecté et son regard, hébété.

L'avant-bras de Specteur en main, Decin prit une grande respiration puis, sans raison, demeura figé comme si on venait de le couler dans le béton. Il se mit alors à trembler au rythme d'un marteau-piqueur emballé. Un roulement de glotte juteux fit pleurer sa gueule et déforma ses pupilles. Le poing levé, il pointa la seringue comme on pointe un poignard. Spec, bouche bée, observa le médecin, dont l'état ne laissait pas vraiment présager une scène d'amour. Aussi recula-t-il en vitesse, afin de ne pas devenir la mascotte du prochain tournoi de fléchettes de Capit.

L'œil droit de Decin éclata bruyamment, éclaboussant le trench de Specteur. Il hurla et se contorsionna, traversé par une série de spasmes inusités, impossibles à reproduire à moins d'être directement branché sur une centrale électrique. À en juger par les mouvements et les sons qu'il générait, Decin semblait lutter contre lui-même. Il rabattit soudain sa main droite sur le rat touriste. La seringue le traversa de part en part et se brisa sur le sol. La main du médecin glissa le long du cylindre et acheva sa descente en écrabouillant le rongeur qui se vida de son contenu en un resplendissant double jet bucco-anal digne des plus magnifiques touristas.

Les bronches du médecin sifflaient doucement. Il s'était calmé. Specteur se rapprocha prudemment.

— Ça va ?

Decin releva la tête en souriant.

— En pleine forme ! lança-t-il gaiement, sans se préoccuper de son œil qui pissait rouge. Et toi, mon vieux ?

Spec reconnut la voix de Satan.

— Mais… mais… qu'est-ce que vous faites là ?

Satan-Decin se releva en ramassant les dégâts et s'en fut nourrir la poubelle.

— Je n'avais pas le choix, fit-il. Cet abruti était sur le point de percer ton secret.

— Bien au contraire ! objecta Specteur. Cet abruti, comme vous dites, avait décelé une anomalie dans mon système sanguin. Qui sait ? Il était peut-être en train de me sauver la vie !

— Ah guano de guano ! Arrête de dire des conneries !

Satan se planta devant un miroir. Il eut un haut-le-cœur.

— Merde… Que ce corps est laid et inconfortable ! Comment y faisait pour bosser là-dedans, lui ! ?

— Hé ! Ho ! cria Specteur. Oubliez un peu l'esthétisme et expliquez-moi ce qui se passe !

— Un instant !

Les deux mains contre le mur, Satan-Decin se cambra et poussa à s'en bleuir le visage. On entendit un « Pop ! ». Un nouvel œil était apparu dans l'orbite vide de Decin.

— Ah ! Ça va mieux…

Spec s'énervait.

— Alors ? s'écria-il. Pourquoi j'ai du sang de rat ?

Satan dressa une paume.

— Écoute-moi bien, mon vieux. Tu n'as pas de sang de rat. Pas plus que ce rat n'avait de sang humain.

— Je ne comprends pas. Decin s'est gouré dans ses analyses ou quoi ?

— Pas du tout. Laisse-moi parler et tu vas tout comprendre.

Specteur se cloua le bec et ouvrit les oreilles.

— Contrairement à la croyance judéo-chrétienne, expliqua Satan, Dieu n'a pas tout créé sur cette planète. En vérité, je te le dis, tous les rongeurs et tous les reptiles sont mon œuvre.

Fier de lui, Satan fit une mignonne petite révérence.

— Ces charmants petits animaux de compagnie, poursuivit-il, ont donc tous un peu de mon Être dans leur sang. Il en va de même pour mes disciples. C'est la raison pour laquelle les rats ont réagi de la même façon que toi au poison et non les chiens, chats et autres minables créatures.

— Holà ! Attendez un instant ! Qui parle de poison, ici ? Ce n'était que de la tisane !

— Tss-tss, fit Satan, un doigt dans les airs. Cette tisane n'était pas si pure qu'on le croyait. Elle contenait une partie de ma personne.

— Comment cela ?

— Je ne sais pas comment, mais quelqu'un — sans doute un petit futé — a réussi à obtenir un échantillon de mon prestigieux corps. Un cheveu, un ongle, un poil, peu importe. En tout cas, il a eu de la veine, car je ne perds qu'un ou deux de ces précieux ornements corporels par siècle. Enfin bref, ce morceau de moi-même a été dilué puis injecté en dose infinitésimale dans de l'eau. Un peu comme en homéopathie, sauf qu'au lieu de prémunir, ça infecte.

Le cerveau de Specteur se transformait peu à peu en compote.

— Comment savez-vous tout cela ? demanda-t-il.

— Ne suis-je pas dans le corps d'un savant ? blagua Satan.

Insatisfait, Spec insista :

— Mais comment l'eau peut-elle cohabiter avec vous ? Ou une partie de vous ? Vous qui représentez le feu éternel ?

Une petite colère gagna Satan. Il grogna à s'en faire décoller une molaire.

— Arrgggh guano ! Ce qu'il est emmerdant avec ses questions ! ! ! Écoutez bien, élève Specteur : Justement ! Jus-te-ment ! ! ! Mise à part l'eau bénite, je suis indissociable de l'eau ! Compris ? Je suis Satan ! Je suis enfer ! Je suis feu ! Si je n'avais pas un pourcentage équivalent de feu et d'eau, il y a longtemps que j'aurais déménagé dans un cendrier !

La cuisse relevée, Satan-Decin évacua un trop plein de frustrations et se brûla le fessier. Il en profita pour s'asseoir, car il avait doublement le feu au cul. Spec eut un fou rire.

— En tout cas, dit-il, si Decin avait les hémorroïdes saignantes, les voilà cuites !

La rate du véhicule de Satan émit quelques rires gutturaux.

— Bon ! fit le Diable en tapotant son habitacle. Qu'est-ce qu'on fait de lui ? On l'élimine ou on le satanise ?

— On aura besoin de ses connaissances, dit Specteur.

— Pigé.

La respiration de Decin commençait à se faire plus difficile. Il haletait et avait de drôles de soubresauts.

— Putain ! lança le diable en toussotant par la gueule du médecin. Je prends trop de place ! Il va falloir que je te quitte et que je le quitte, sinon, il ne finira pas la journée, le pauvre petit.

— Je dois filer aussi. J'ai tellement soif que j'ai l'impression de m'être gargarisé avec de la litière pour chats.

— C'est bien ! Allez, au revoir ! Et bonne chance avec cette ridicule histoire de pommier.

— Merci.

— Et t'en fais pas. Dès que je l'aurai quitté, Decin sera satanisé. Tu pourras lui faire entièrement confiance.

Cela dit, Decin eut aussitôt quelques violentes convulsions et retrouva ses esprits à lui. Il bomba le torse et renifla un bon coup.

— Aaaaaahh ! s'écria-t-il Je me sens dans une forme splendide ! !

— On va boire un coup ? dit Spec.

— Avec joie !

Dehors, un homme vint à leur rencontre. Il était si vieux que son visage était plus ridé qu'un scrotum. Énergique en apparence, il avançait avec peine.

— Inspecteur Specteur ?

— Lui-même !

Le vieux lui serra chaleureusement la main et ignora Decin.

— Que puis-je faire pour vous ? demanda Specteur.

— Mon nom est Romap Yuché. Je suis responsable de l'entretien du cimetière du Père-Lacarte. Quand j'ai su que vous étiez sorti du coma, je me suis dit que je devais vite venir vous communiquer une information de la plus haute importance.

— Qu'est-ce donc ?

— Je n'en ai parlé à personne, j'attendais vraiment que vous sortiez du coma. Je voulais vous l'annoncer à vous et à personne d'autre avant vous…

— Oui, bon, ça va, ça va, j'ai compris, ricana Specteur. Allez-y, dites-moi ce que c'est.

— Eh bien, voilà… On a volé trois cercueils…

Spec se tourna vers Decin et les deux hommes rirent à pleine rate malgré la soif qui les tiraillait.

— Ce n'est rien, voyons, fit Spec, paternel, en tapotant l'épaule de Yuché. Les cadavres ne porteront sûrement pas plainte.

— Je sais, je sais, mais… C'est que… l'un d'eux était le cercueil de M. Ternel, votre père…

DIX-NEUF

Déjà deux jours que Zelle suivait Mandant vingt-quatre heures sur vingt-quatre et cet idiot ne faisait que s'amuser. Jour et nuit! Il allait dans les foires, se tapait tous les manèges, allait au cinoche, dans les arcades, ingurgitait des kilos de crème glacée au chocolat, de frites huileuses, de coca et nombreuses autres cochonneries qui, à elles seules, auraient suffi à nourrir tous les friandais, voire à les rendre obèses. C'est tout ce qu'il foutait. On aurait dit un sous-doué échappé d'un asile politique.

En grande détective professionnelle qu'elle était devenue, Zelle honorait, tout de même, sa mission et ne le quittait pas d'une semelle malgré l'odeur qui devait y régner.

Il était vingt-trois heures quand Mandant quitta le resto *Grand Gueuleton*, quatre hamburgers en main et un en gueule. « Enfin! se dit Zelle. Il était temps qu'on bouge! » Son pauvre petit corps était épuisé. Elle bâillait tellement qu'elle avait peur de se retourner comme une chaussette qu'on retire. Mandant s'engouffra dans sa bagnole et démarra en entamant son deuxième burger. Zelle embraya. Elle le fila discrètement, bien calée dans sa nouvelle Renault 5 blanche.

Mandant semblait essayer de battre un record en slalom sur lignes pointillées. Il conduisait son auto en prenant bien soin de faire le moins de lignes droites possible. Croyait-on qu'il s'était enfin stabilisé qu'on apercevait aussitôt un flic, garé dans un coin sombre. Mandant l'avait flairé, on ne savait trop comment.

À l'angle des rues Dérobart et Dovesse, Mandant freina brusquement et descendit de sa bagnole. Un peu surprise, Zelle faillit s'arrêter derrière lui mais prit finalement la sage décision de se garer un coin de rue plus loin. Dans son rétroviseur, elle voyait Mandant, debout sur son capot, qui dansait en bouffant son dernier burger. « Décidément, pensa Zelle, qu'il soit maigre ou obèse, cet homme demeure un débile profond. »

La danse du froisseur de tôle dura une minute ou deux, le temps que se pointe un homme masqué, sac en main, qui grimpa dans la bagnole avec Mandant. Ils décollèrent et le festival du zigzag reprit de plus belle. Mademoiselle Zelle les laissa passer puis leur colla au cul. Bien sûr, elle n'aurait pas dû les suivre de si près mais elle se disait que le type de conduite pour lequel Mandant avait opté ne lui laissait sûrement pas le temps de vérifier la teneur de son rouge à lèvres dans le rétroviseur.

Un coin de rue fut attaqué d'un coup de volant particulièrement brusque. Si bien que Zelle passa à deux cheveux de le rater. Elle devait demeurer alerte si elle ne voulait pas perdre les deux hommes de vue.

Sans doute ému par la conduite de Mandant, le type masqué ouvrit la portière et se débarrassa de quelques aliments, non digérés, qui n'avaient pas vraiment le goût de voir le jour mais y furent contraints. Le pauvre avait cependant oublié un détail : il était masqué. Il se retrouva donc avec un masque de vomi, ce qui n'est pas nécessairement recommandé par la corporation des esthéticiennes et cosmétologues de la Friande. Il pourrait toutefois se débarbouiller bientôt puisque Mandant arrivait enfin chez lui.

Zelle se gara un peu plus loin et éteignit ses phares.

Elle crut d'abord que Mandant s'était trompé d'adresse ou qu'il avait une course à faire avant de rentrer chez lui, car ce qui se dressait devant sa bagnole ne ressemblait en rien à sa charmante petite maison. Ils étaient pourtant dans la bonne rue ! Devant le bon numéro civique ! Qu'est-ce que c'était que ce bunker !!? Cette forteresse !!? On aurait dit qu'en l'absence de Mandant, quelqu'un avait recouvert sa mignonne petite piaule d'un immense cube d'acier !

Mandant sortit un bras de la voiture et pointa ce qui devait être une télécommande en direction du bunker. Une grosse porte coulissa et il roula sa bagnole à l'intérieur. La porte se referma et Zelle se retrouva seule dans la nuit.

Bouche bée. Elle ne savait plus quoi faire ni penser. En moins de deux jours, Mandant avait fait transformer sa maison en bunker. Pour cacher quoi ? Zelle était songeuse et le sommeil commençait à la gagner. Les yeux mi-clos, elle regardait sa clé de contact et hésitait entre l'envie de rentrer chez elle se taper une sieste de dix-huit heures et la nécessité d'installer immédiatement une caméra de surveillance devant ce coffre-fort. Elle avait déjà la caméra. Ce qui lui manquait, c'était l'envie et l'énergie nécessaires au passage à l'acte.

Après avoir cogné une douzaine de clous, elle tenta de prendre une décision. Elle n'en eut pas le temps car, tombant de nulle part, Mandant atterrit sur le capot de sa Renault et se mit à danser comme Michael Jackson en pleine crise d'épilepsie. Mademoiselle Zelle bondit hors des limbes, démarra et déguerpit aussi vite qu'elle put. Son petit cœur battait presque au même rythme que les pistons de sa voiture. Elle prit une grande respiration et se calma un peu.

Dans le rétroviseur, Mandant rapetissait en se trémoussant.

VINGT

Impossible pour Specteur de rester plus longtemps que vingt minutes dans un cimetière. Il avait déjà testé la chose. Au bout de dix minutes, il avait la nausée, des maux de tête et d'étourdissants épisodes de vertige. Toutes ces croix, ces pierres tombales, cette terre, dix mille fois bénie, ces cadavres qui puaient l'église, tout cela perturbait ses sens et lui faisait pratiquement suinter du pus.

Heureusement, il eut à peine besoin de cinq minutes pour constater qu'on avait volé **et** le cercueil de son père **et** celui de sa mère. Le vieux Romap Yuché se confondait en excuses. Comment avait-il pu ignorer qu'il s'agissait là du cercueil de la mère de monsieur l'inspecteur ? Qu'il était con ! Qu'il était taré ! Il s'en voulait de ne pas avoir vérifié dans les registres de l'hôtel de ville. On y mentionnait sûrement que madame Gisèle était l'épouse de monsieur Ternel. Specteur le rassura en lui confiant que presque personne, à Capit, ne savait que sa mère était enterrée au Père-Lacarte et qu'il ne fallait pas s'inquiéter de ceux qui étaient au courant : ça leur passait six pieds au-dessus de la tête puisqu'ils étaient tous six pieds sous terre. Il garda cependant pour lui le fait que sa pauvre mère était morte en lui donnant la vie.

— Le troisième, fit Yuché, je sais pas qui c'est, vous comprenez, on a volé la pierre tombale, et moi j'ai pas le cadastre pour l'emplacement et les noms et les rangées et tout ça, parce que, vous comprenez, quand ils ont refait l'arpentage à nouveau y a cinq ans, pour l'informatique, pour être plus modernes, vous comprenez, c'est des jeunes qui ont recensé tous les noms qu'y avait sur les pierres et, vous comprenez, les jeunes, y sont paresseux et, quand ils arrivaient pas à lire la pierre, vous comprenez, les jeunes, eh ben ils écrivaient *Nom inconnu* au lieu de vérifier l'emplacement correspondant, vous comprenez, sur le vieux cadastre, et ils ont jeté le vieux cadastre, parce que les jeunes, y jettent tout ce qui est vieux, vous comprenez ?

Durant cette grandiose envolée lyrique, dont la syntaxe aurait rendu jaloux n'importe quel grammairien, Specteur pressait de plus en plus le pas car il n'avait qu'une seule idée en tête : fuir ce putain de cimetière. Une fois en terrain plus confortable, il laissa donc Yuché à ses vieux os et se réfugia dans sa bagnole. Le vieux continuait à lui marmonner ses poèmes édentés à travers le pare-brise. D'un coup d'essuie-glace, Spec se débarrassa des postillons et poussa la Renault à fond. Elle avait des ailes de plomb. Même au plancher, l'accélérateur n'arrivait pas à combler le désir que Specteur avait de se retrouver illico à la Taverne Occulte. Il y aboutit finalement après deux ou trois éternités et engloutit, coup sur coup, deux belles bouteilles de savoureux Maiissìhkh. Il s'échoua ensuite sur une chaise déserte et laissa l'ivresse gagner sa cause.

La soirée était douce et très calme. Un nuage de dimanche planait au-dessus du vide. Il y avait bien quelques clients ici et là mais, pour chacun d'entre eux, c'était le verre solitaire.

Le gosier d'un saxophone chuintait sa douleur vers les cœurs noirs esseulés. Spec se sentait chaviré. Il était complètement déboussolé par cette enquête. Mais était-ce vraiment une enquête ? Après tout, il n'y avait pas eu meurtre, ni agression d'aucune sorte… Il y avait bien sûr le flic écrabouillé, mais son meurtre était-il vraiment rattaché à cette histoire de pommier? Et Mandant? Il était louche, certes, mais cet emballage de chewing-gum en faisait-il un suspect? Zelle se plaisait à le croire et Specteur espérait de tout son cœur que sa filature la mènerait à quelque chose même s'il y croyait plus ou moins. À son avis, Mandant n'était rien d'autre qu'un gros maigre devenu fou. Bon, on avait aussi volé trois cadavres, mais c'était tout. Quant au squelette deux fois millénaire, si ce qui l'enrobait jadis avait bel et bien été tué de la façon décrite par Decin, le coupable était assurément très, très décédé et même retourné en poussière depuis longtemps. À quoi tout cela le menait-il donc? Qu'est-ce que Dilleux manigançait, encore? À quel moyen peu catholique avait-il songé pour prétendre pouvoir l'exterminer, lui, l'inspecteur Specteur, le meilleur inspecteur de police au monde? Quoi qu'il en soit, il ne pouvait se permettre de prendre ce dossier à la légère. « *Prudens homo prudenter agit* », se dit-il. Spec entreprit donc de se dégriser une petite heure avant de rentrer chez lui, puis de se taper une bonne nuit de sommeil, le nez blotti dans le plumage de Fido. Demain, il serait frais comme une pub de serviettes sanitaires et prêt à élucider le mystère de ces âneries anachroniques.

Quand il se sentit d'attaque pour reprendre la route, le jour commençait à poindre. Specteur détestait ce moment de la journée. Pour lui, la merde qui régnait dans ce très bas monde ne méritait pas un aussi bel éclairage. Surtout quand la lumière était d'un jaune promettant un beau début de journée alors que lui était déjà fini.

Il slaloma tant bien que mal jusque chez lui. À son arrivée, il remarqua la Renault blanche de mademoiselle Zelle. Il aurait sûrement droit à une petite partie de bassin avant de dormir.

Le carreau brisé, qu'on avait plus ou moins bien colmaté avec des planchounettes, attira son attention.

« Zelle n'avait pas les clés et elle s'est débrouillée », songea-t-il. Sitôt la porte ouverte, elle lui sauta au cou.

— Spec ! cria-t-elle. Enfin tu es là !

— Un peu de calme, je t'en prie. Laisse-moi d'abord me mettre à poil et tu pourras ensuite me faire tout ce que tu veux.

— Fido a disparu !

— Qu'est-ce que tu me chantes[1] là ?

Elle relata son arrivée chez lui. Le carreau brisé, l'absence du perroquet. Puis, elle lui fit un bref résumé de ses deux jours de filature. Mandant avait donc quelque chose à cacher... Spec allait voir à tout cela demain. Pour l'instant, il savait que Zelle avait également quelque chose à cacher. Il la déshabilla donc et chercha avidement avec ses mains et sa bouche. Ce fut plus ou moins fructueux. D'autres outils de recherche s'avérèrent nécessaires à une vraie fouille en profondeur. Il baissa son pantalon et dégaina son homme. Zelle était exténuée mais Spec la tenait en joue et la menaçait d'orgasmes. Elle n'en eut qu'un, mais le bon. Après quoi, les deux bêtes entamèrent une descente vers l'enfer des songes.

Avant de sombrer totalement, Specteur eut une pensée pour son pote, Ré. Demain, il irait le cueillir à sa sortie de l'hôpital Cœur-du-Grand-Nain.

---

1. Specteur ne reconnaissait pas du tout la mélodie du célèbre tube *Fido a disparu*, enregistré par les beaux-frères des Beatles en 1967 et qui fut à la tête des palmarès pendant presque un jour.

VINGT ET UN

Spec et Ré avaient ressorti leurs costumes d'amiante de façon à pouvoir s'étreindre comme deux vrais potes qui ne se sont pas vus depuis longtemps. Ré avait l'air en pleine forme. Ces quelques jours à l'hosto l'avaient rallumé. Son regard avait changé cependant. Il avait perdu un peu de cette naïve innocence qui caractérise ces pauvres créatures que sont les prêtres. L'amertume se lisait dans la forme de ses sourcils.

Spec proposa de le ramener au presbytère. En cours de route, il informa le curé des derniers développements de l'affaire. Le bunker, Adèle toujours au large, le gosse, les cercueils, la disparition de Fido. Ré devint encore plus sombre.

— J'ai fait un drôle de rêve..., lança-t-il avec un râle dans la voix.

— Ah bon. C'était quoi ?

— Ça m'a vraiment bouleversé. Je ne savais trop quoi en penser...

— C'était quoi ! ? insista Spec.

Ré baissa la tête et fixa le plancher.

— J'ai rêvé que tu baisais avec une enfant...., confia-t-il.

La Renault crissa d'un peu partout puis s'immobilisa.

— Quoi ! ! ? hurla Specteur. Qu'est-ce que c'est que

ces fantasmes de prêtres ! ? ? Tu me prends pour un pédo ou quoi ?

— Calme-toi, voyons ! Ce n'était qu'un simple rêve !

— Tu sembles le considérer plutôt sérieusement, ce simple rêve !

— C'est que… j'ai aussi rêvé que… que Fido se faisait enlever.

La suspicion s'installa au fond des yeux de l'inspecteur. Il secoua la tête et chassa vite les idées incongrues qui prenaient naissance dans son esprit. Ça n'avait aucun sens. Ré ne pouvait décemment pas être derrière toutes ces turpitudes.

— Tu ne devrais rêver qu'un jour sur deux, blagua Spec, ça t'éviterait de rêver à des conneries.

Le prêtre força ses commissures à générer un petit sourire. Spec le lui rendit avec la même intensité et reprit la route en silence. Ils n'avaient pas fait un kilomètre que Ré demanda à s'arrêter devant un petit kiosque à journaux.

— Pour quoi faire ?

— J'en ai pour une seconde, fit le prêtre.

Quand il revint, une seconde plus tard, il était déjà plus joyeux. Pour cause : il avait maintenant de quoi se remplir les narines de vigueur.

— Je peux en faire un peu avant de redémarrer, dis ?

Spec ne put retenir un grand éclat de rire.

— Sacré Ré ! Malgré une désintoxe forcée, te voilà redevenu le petit renne au nez blanc !

Ré la trouva bien bonne, au point de souffler la ligne qu'il venait de se préparer.

— Ne me fais pas rire comme ça, Spec, je vais gaspiller toute ma came !

Une fois les voies nasales du curé bien bloquées, Spec put repartir.

— Dis, ça te dirait d'aller voir ce bunker dont Zelle m'a parlé ? demanda-t-il.

Le prêtre rumina deux ou trois fois et lança :

— Oh mais bien sûr ! Tout de suite ! Allez ! Oui ! On y va ! Allons voir le bunker de Mandant ! Oui ! Il y a sûrement quelque chose de louche là-dedans !

— Oui, oui, du calme, du calme, mon vieux ! ricana Spec. Le fait de parler deux fois plus vite ne nous fera pas arriver plus rapidement !

Douze mille mots plus tard, Specteur n'en croyait pas ses rétines. C'était encore plus impressionnant que ce que mademoiselle Zelle avait décrit. Le curé n'était pas moins ébloui.

— C'est un coffre-fort, ma parole !!! s'écria-t-il.

— Exactement ce que Zelle a donné comme comparaison.

— Où est-elle ? Elle n'est pas chargée de surveiller Mandant ?

— Je l'ai mise au repos pour un jour ou deux. Elle était morte, la pauvre.

Pendant que les deux hommes discutaient, la porte du bunker coulissa lentement. Ré s'en rendit compte le premier.

— Regarde ! On dirait qu'on s'apprête à faire une petite sortie !

Spec eut juste le temps de faire marche arrière et de se planquer derrière un buisson, d'où ils pouvaient voir sans être vus. La porte était maintenant grande ouverte et personne ne montrait le bout du nez. Ni de quelque autre organe d'ailleurs. Une clochette résonna. « Gling ! Dring ! Gling ! Dring ! » Ensuite, un gosse à vélo sortit en rigolant.

— C'est ce sale gosse !!! hurla Specteur en embrayant pour partir à sa poursuite.

Au même moment, un autre môme, un peu plus âgé sortait du bunker. Spec écrasa le champignon[1]. Le son de la Renault 5 attira l'attention du premier qui, reconnaissant l'inspecteur, fonça immédiatement dans un couloir étroit situé entre deux maisons.

---

1. Qui ne lui avait pourtant rien fait.

— Putain de vélo ! cria Spec.

— De merde ! renchérit Ré.

Tant pis ! Il restait l'autre gosse. Un léger coup de volant suivi d'un grand coup de frein à main suffit à Specteur pour mettre sa bagnole en travers de la rue, juste devant le jeune cycliste éberlué. Spec descendit prestement et, au moment où il allait l'agripper par un bras, le gosse lança :

— Ah, c'est vous inspecteur Specteur ! Hi ! Hi ! Hi ! Comment allez-vous ?

Stupéfait, Spec recula d'un pas et se heurta au prêtre qui venait le rejoindre. « Tsshhhhiiiitt ! »

— Ouille !

— Aïe ! !

Les deux comparses venaient de se brûler mutuellement. Sur son vélo, le gosse se payait leur tête.

— Merde ! cria Specteur. Merde ! Et surmerde ! ! !

— Pardonne-moi, Spec !

— Ce n'est rien ! Vise plutôt ce môme !

Ré ne visa d'abord rien du tout puisque le môme en avait profité pour sauter sur son pédalier et foutre le camp.

— Il s'en va ! fit le prêtre.

— Reviens ici tout de suite ! ! ! ordonna Specteur.

Le gosse freina brusquement, puis tourna la tête vers les deux grands brûlés. Les joues bien gonflées, il souffla dans son chewing-gum. Une boule de couleur douteuse jaillit de sa bouche et grossit jusqu'à lui masquer presque entièrement le visage. Specteur s'avança vers lui avec la ferme intention de l'embarquer. Il n'en eut pas le loisir. Le chewing-gum éclata et le gosse disparut aussitôt. Paf ! Volatilisé !

« Klangkeunetomffrrrrr ! » fit le vélo en tombant par terre.

Spec se retourna vers le curé.

— T'as vu ce que j'ai vu ?

— Ouais…

— *Discipulus est doctior quam magister.*

Silence bizarroïde.

— On dirait bien que le commandant Mandant a pris un énorme coup de jeune…

VINGT-DEUX

— C'est ça… Oui… Et tu peux même te taper quelques ornithologues… Ça ne peut pas nuire… Oui. D'accord. Non… Je te raconterai plus tard… D'accord ? Bonne chance !

Specteur referma son portable. Mademoiselle Zelle avait maintenant une nouvelle mission : retrouver Fido. Qui sait ? Le vol[1] du perroquet avait peut-être un rapport avec toute cette histoire. Sinon, Spec serait quand même heureux de retrouver son beau gros moineau.

— Inspecteur ! fit Decin en entrant dans le labo. Pardonnez-moi de vous avoir fait attendre. On vient à peine de me remettre les résultats.

— Alors ?

— Vous aviez raison. Les empreintes relevées sur le guidon du vélo sont bel et bien celles du commandant Mandant.

— J'en étais sûr !

— Il avait l'air d'avoir quel âge ?

— Sept ou huit ans. Tout au plus.

— C'est comme cette oreille de l'autre jour…

— Sauf que cette oreille de l'autre jour n'appartenait pas à Mandant.

— À quoi rime tout cela ?

---

1. « Vol » dans le sens de *vol* et non dans le sens de « *vol* ». C'est une question de logique.

— Je l'ignore, mais j'ai bien l'intention d'aller voir ce qui se cache dans ce putain de merde de saloperie de chiasse de vache de bunker à la con !

À court de gros mots, Specteur quitta le labo et fonça tout droit vers le bunker. En passant devant l'église Glize, où Ré célébrait son théâtre liturgique à la noix, Spec décida d'y faire un arrêt. Non pas pour saccager l'édifice en tant que tel, mais plutôt pour aller faire baisser son taux de testostérone dans le salon de massage sis juste devant.

Il se rappelait y avoir connu une masseuse… Madeleine[1], une ex-religieuse. Son faible statut ecclésial était cependant amplement suffisant pour générer une chaleur intense au contact de la peau de ce satané Specteur. Et plus c'était pervers, plus c'était l'enfer. Il décida donc de lui payer une visite amicale, voire des amygdales.

À la réception, on l'informa de l'absence de Madeleine et on ignorait à quelle heure elle devait commencer sa journée. Spec avait le radar sous tension. Il aurait bien aimé se rabattre sur la réceptionniste, mais elle avait l'air d'Elvis Presley après deux années de décomposition. Il fuit le plus rapidement possible cette image favorisant l'abstinence éternelle et comprit pourquoi la débandaison, papa, ça ne se commandait pas.

À la sortie, il arriva flasque à face avec Madeleine.

— Inspecteurrr…, ronronna-t-elle en ne lésinant pas sur les « r ». Je croyais ne plus jamais vous revoir.

Spec était sans voix, sans cerveau, sans couilles, sans genoux et tremblait comme lièvre au congélateur. Il y avait de quoi : le corps de Madeleine souffrait de perfection chronique. Ses yeux pénétraient les vôtres à une telle profondeur qu'elle vous en chatouillait les orteils. Ses seins, duo généreux, fiers et indépendants, tenaient tête à quiconque y plongeait la sienne. Ils insultaient la gravité. La ligne de son dos, affûté à souhait à force de caresses, guidait le temps sur la courbe des plaisirs.

1. Voir *L'Inspecteur Specteur et le doigt mort*, ou voir Naples et mourir.

Sa croupe ne croupissait pas sur des jambons.

N'importe quel homme eût balbutié de la queue en la voyant.

— On vous a volé la langue ?

Specteur retrouva ses sens.

— Je la ménage en attendant de vous en faire profiter comme vous le méritez.

Madeleine étira ses lèvres rouge sang.

— Qu'attendons-nous donc… ?

Elle passa devant et se déhancha subtilement jusqu'à la chambre numéro treize. Specteur la suivit en regardant droit derrière. Une fois dans la chambre, Madeleine s'adossa à la porte, défit deux boutons de sa chemise et bomba la poitrine.

— Vous arrivez d'où comme ça ? fut tout ce que le meilleur des inspecteurs trouva à dire.

— De l'église… qui est de l'autre côté de la rue.

« Oh non ! songea Spec. Ce coup-ci, on va sérieusement se brûler ! » Madeleine s'avança et glissa les mains sur les hanches de Specteur. « Putain ! se dit-il. J'ai beau avoir mon trench sur le dos, je sens déjà une chaleur démesurée ! » Elle poussa un peu plus loin la fouille et lui empoigna les fesses qu'elle ramena lentement vers son entre-femme. La chaleur était vraiment de plus en plus insupportable. Et ils étaient encore tout habillés !!! Quand leur ventre entra en contact, tous deux reculèrent en sursautant. Madeleine se mordit la lèvre inférieure et ramena les genoux l'un vers l'autre.

— Hummmmm… C'est tellement chaud… Ça me fait peur et en même temps ça m'excite énormément.

Elle inspira, les dents serrées. On entendait la salive rouler dans sa bouche. Specteur avait la merguez en feu. Il désirait cette femme plus que Satan, le bonheur des gens. Sans réfléchir, il lui caressa le cou. Ouille ! Ouille ! Ouille ! Que c'était chaud ! Que c'était chaud ! Madeleine se tortillait légèrement, essayant de ne rien laisser paraître. La main de Specteur tremblait plus qu'elle ne caressait.

Soudain, les deux visages se mirent à n'afficher que des grimaces de déplaisir. On se résigna alors à reculer de part et d'autre.

C'était l'échec…

Cette œuvre d'art, ce chef-d'œuvre aphrodisiaque était là, à portée de la langue, et Specteur ne pouvait y toucher sans risquer de l'abîmer. Car il se foutait bien de sa propre personne. Il savait qu'il guérirait en un rien de temps. Mais elle ? La pauvre perdrait tout son éclat au profit de pustules et cicatrices.

Il y avait loin de la croupe aux lèvres.

— Merde !!! hurla Specteur. Mer-de !!! MER-DE-MERDE !!!

— Calme-toi, mon chéri…, souffla la belle Madeleine. Moi aussi, je rage. Si tu savais comme j'ai envie de toi. Si la mort ne m'effrayait pas tant, je me consumerais dans tes bras.

Une larme vint appuyer ses dires.

— Dès la première fois où je t'ai massé, j'ai eu envie de toi… comme personne. Car tu n'es comme personne. Ta fougue, ta timidité et ton mal de vivre m'ont conquise… Ton intérêt pour moi, ta façon de m'écouter… et ton corps… Ton corps si chaud… J'espérais de tout mon cœur te revoir et, en même temps, j'appréhendais ce moment avec énormément d'angoisse. Je craignais qu'arrive ce qui vient de nous arriver.

Elle s'essuya les yeux.

— Je… je ne sais que dire de plus… Je suis profondément déçue…

— *Præ lacrimis loqui non possum…*, chuchota Specteur.

Il avait les boyaux tordus comme un nœud de corde de pendu et le cœur gros comme celui du Grand Nain. C'était la première fois qu'on lui faisait une aussi belle déclaration d'amour. Et il ne pouvait même pas prendre cette douce Madeleine dans ses bras pour lui témoigner sa reconnaissance. Chienne de vie de sa race !!! Il aurait vendu son âme à Dilleux pour cette femme !

Totalement impuissant. Il était totalement impuissant... Aucun mot ne lui venait à l'esprit. Aucun mot qui eût pu décrire tout l'amour qu'il avait pour cette beauté martyrisante et toute la haine qu'il vouait à cette misérable existence.

Ses glandes lacrymales parlèrent pour lui. De son visage plongèrent bientôt une multitude de gouttelettes salées, kamikazes préférant mourir que de vivre dans des yeux misérables.

Touchée par le spectacle, Madeleine sentait son cœur gonfler et ne cessait de déglutir. Si bien qu'elle coula également. Elle baissa les yeux et remarqua que, vus à travers la distorsion que créaient ses larmes, les pieds de Specteur prenaient une drôle de forme.

C'est alors qu'elle eut un éclair de génitrice.

— J'ai une idée !!! s'écria-t-elle, tout sourire, en séchant ses pleurs. Suis-moi !

Specteur fut bien obligé de revenir sur terre, d'autant plus qu'il lui fallait courir dessus pour suivre Madeleine. Elle prit un corridor à gauche, puis un autre à droite, puis un à gauche et deux à droite. Spec commençait à se demander comment il allait pouvoir retrouver son chemin dans ce labyrinthe aux murs identiques. Madeleine ralentit le pas alors qu'ils arrivaient à un cul-de-sac.

— Mais... Il n'y a rien ici ! fit Spec, déçu d'être plus essoufflé qu'étonné.

— Patience !

En moins d'une seconde et sans le moindre effort de sensualité, elle se débarrassa de ses fringues.

— Allez, déshabille-toi, mon chéri !

— Pourquoi faire ?

— Ne pose pas de questions et déshabille-toi ! C'est notre jour de chance, il n'y a personne !

Sans trop savoir pourquoi, Spec se dévêtit avec autant d'énergie que Madeleine en avait mis pour le faire. Il était tellement énervé qu'il en oubliait de raidir. Madeleine lui tourna le dos et s'approcha du mur latéral. Elle appuya sur un petit bouton et le mur du fond s'ouvrit devant eux.

Quand il découvrit ce qui se cachait derrière, Specteur comprit vite que, désormais, il n'y aurait plus d'obstacles entre Madeleine et lui.

VINGT-TROIS

La surface lisse et froide de l'acier glaçait l'espace, soudait le temps au présent, emprisonnant chaque seconde dans un immense cube d'ennui. Tout était plat, droit, dur; maison morte en forme de mauvais sort. La claustrophobie elle-même y aurait angoissé. Les murs du bunker n'avaient sûrement pas d'oreilles.

Dans un coin de ce gros coffre-fort, le dispositif émetteur de volonté poussait des petits bips de façon aléatoire. Dans un autre coin, Fido, perché sur une absence de confort, essayait de roupiller mais sursautait à chacun de ces putains de bips. Debout, en plein centre du cube, le cercueil de maman Mandant trônait, phare sombre de desseins malsains. Une porte, épaisse comme deux trottoirs, s'ouvrit. Dilleux fit son entrée, les mains jointes devant son visage, les traits crispés. Derrière lui, Soglas, le poucet, poussait une poussette.

— Je vous avais pourtant ordonné de ne sortir sous aucun prétexte, fit Dilleux sur un ton posé mais aux couleurs acides.

De sa voix de baryton, Soglas emplit le bunker:

— Je sais, pardonnez-moi... Mais vous savez comment est Mandant. Il a tellement insisté que j'ai craqué. C'est trop cruel de laisser un enfant pleurer. Je vous demande pardon encore une fois.

Dilleux se prit la tête — pas trop quand même, car il

ne voulait pas déranger sa soyeuse chevelure — et soupira longuement.

— Vous saviez pourtant comme moi, Soglas, que l'inspecteur Specteur ne devait absolument pas voir Mandant si jeune.

— Je sais…

— Tant qu'il croyait que Mandant avait tout simplement maigri, c'était parfait. Maintenant, il va tout faire pour essayer de pénétrer dans le bunker.

Soglas frappa de sa pipe le fond de sa paume et souffla fortement dans le tuyau. Il essayait de se faire rassurant.

— Il aura beau essayer pendant toute l'éternité, il n'y arrivera pas. Sauf quand nous l'y aiderons, naturellement.

— Espérons que l'avenir vous donnera raison, monsieur Soglas.

— L'avenir devra me donner raison, car je ne pourrai rester dans ce corps de môme éternellement.

Du revers de la main, Dilleux effleura la joue de Soglas.

— Ne vous en faites pas, précieux collaborateur. Vous êtes généreux avec Dilleux ; Dilleux sera généreux avec vous. Quand tout cela sera terminé, je vous donnerai le corps que vous méritez.

— J'ai la foi.

— Bôôôôôôôrrrk ! cria Fido à l'endroit de Soglas.

— Ce sale poulet est vraiment insupportable…, lança le faux gosse en serrant les poings.

Dilleux lui jeta un regard de mannequin.

— Ne vous torturez pas inutilement, cher ami. Nous pourrons bientôt relâcher cette drôle de bête. En attendant, donnez à manger à ce pauvre enfant et mettez-le au lit. Il en a grandement besoin pour affronter ce qui va suivre.

Soglas n'avait pas bougé la poussette d'un millimètre que, déjà, Mandant chialait comme si on lui brûlait les couilles au fer rouge.

— Houaaaaan ! Hooouuuuuuuaaaaan ! Maman !!! Maman !!! Hooouuuuaaaaaan !

Bébé Mandant tendait ses petits bras dodus vers le cercueil de sa maman et essayait de descendre de la poussette.

— Allons… Allons…, chantonna Dilleux, maternel. Ne pleure pas comme ça. Tonton Soglas va te faire manger, te bercer un peu et tu verras, ça ira mieux…

La proposition fut accueillie à gueule ouverte.

— Hoooouuuuaaaaaan ! faisait Mandant.

— Bôôôôôôrrrrrkhooouuuuaaaaan ! faisait Fido.

— Qu'est-ce qu'il a à crier comme ça, à la fin ! gémit Soglas.

— C'est normal, il n'a plus que trois ans. Soyez tolérant, je vous en prie.

Dilleux posa la main sur le front de l'enfant qui s'endormit aussitôt.

— Dépêchez-vous, fit-il. Emmenez-le vite dans la pièce d'à côté et couchez-le.

— Bien.

— Ensuite, venez me rejoindre. Il est vraiment temps que nous finissions le dressage de ce réticent volatile…

VINGT-QUATRE

Mademoiselle Zelle venait de visiter sa douzième animalerie. Nulle part, aucun employé ne connaissait ce type de perroquet — *Psittacus Erithacus Erithacus* — ou n'avait vendu le type de graine dont il se nourrissait, mais tous s'entendaient pour dire qu'ils n'en avaient rien à foutre. La treizième, *L'Amazonie*, devait la mener à quelque chose, sinon Zelle sentait qu'elle éclaterait en sanglots.

Elle cherchait une place où fourrer sa Renault quand elle remarqua qu'un type s'apprêtait à monter dans une bagnole garée juste en face de *L'Amazonie*. L'homme avait un sac sur l'épaule, de sorte que Zelle ne pouvait voir s'il s'agissait d'un beau gosse ou d'un boudin. Il semblait avoir de la difficulté à déverrouiller sa portière. Impatiente de le voir déguerpir, elle klaxonna un peu beaucoup. Le type vint enfin à bout de sa serrure et jeta un coup d'œil discret vers la klaxonneuse avant de monter. Bordel de merde ! Elle connaissait ce mec ! C'était Adèle !!!

— Adèle !!! hurla-t-elle en courant vers lui.

Trop tard. Il décampait déjà. Zelle retourna à sa caisse et décolla en vitesse. Adèle avait déjà une bonne avance, mais elle comptait bien le rattraper, au risque d'y laisser sa [1]carrosserie.

1. Cet appel de note aurait dû être placé à la fin du mot et non au début.

Une demi-douzaine de voitures les séparaient. La première collait sa droite et fut facile à doubler mais la deuxième se tenait en plein milieu de la voie. Zelle avait beau zigzaguer, klaxonner, donner des phares, cet imbécile ignorait toujours qu'il y avait une vie derrière lui. Il tourna enfin et Zelle put pousser sa caisse à fond. Elle doubla les troisième et quatrième en un claquement de doigt, comme si elles avaient été de connivence. Plus qu'une bagnole à dépasser et elle serait en mesure d'intercepter Adèle ! Elle tenta une manœuvre sur la gauche, mais une voiture, venant d'une rue transversale, la força à ralentir, l'obligeant ainsi à réviser sa stratégie. Un feu passa au jaune. Adèle le brûla sans problème. Au lieu d'accélérer, les deux crétins devançant Zelle crurent bon respecter la loi et s'immobilisèrent.

La tête sur le volant, Zelle ravala son fiel. C'était inacceptable ! Elle avait failli à sa tâche à cause de deux putains d'honnêtes citoyens ! Ses poings mitraillèrent le tableau de bord sans relâche. Elle frappait, jurait, crachait, les dents serrées comme des fesses de nonnes.

Tête première dans son hystérie, elle ne remarqua pas que le feu venait de passer au vert. On commença donc à lui klaxonner au cul. Folle de rage, elle descendit de sa bagnole, grimpa sur le capot de celle qui la suivait et lui pissa un bon coup sur le pare-brise. La miction, en balayage régulier, se fit sans problèmes et avec une élégance déterminée. Des applaudissements fusèrent de partout. On la demanda même en mariage. La victime de cet arrosage inopiné, un homme d'âge mûr[1], ne trouva rien de mieux à faire que d'actionner ses essuie-glaces.

Soulagée, Zelle examina les environs afin de se situer. Elle n'était pas très loin de l'église Glize. Ré y était peut-être… Il serait sûrement content d'apprendre qu'Adèle était toujours de ce monde.

Deux minutes plus tard, elle était garée devant le

1. À en juger par la rougeur de son visage, il était sûrement très mûr.

saint lieu et courait sur le parvis. Mais plus elle s'approchait de l'église, plus elle se sentait fiévreuse. Son statut de suppôt de Satan se mariait mal avec les bâtiments ecclésiaux. Heureusement, le bedeau sortait justement de la sacristie. Elle l'interpella :

— Holà ! Monsieur ! Monsieur !

L'homme aperçut Zelle et se dandina gentiment jusqu'à elle. À première vue, deuxième et même cent vingt-septième vue, il n'était pas nécessairement hétéro.

— Bonjour, très chère ! nasilla-t-il en replaçant une mèche de cheveux avec son auriculaire. Qu'est-ce que je peux faire pour toi, ma belle ?

À tutoiement, tutoiement et demi.

— Dis-moi, ma grande ! lança Zelle, sourire en coin. Tu sais si le curé Ré est dans son foutoir ?

Le bedeau mit une main devant sa bouche et poussa un rire juteux.

— Non, ma pétasse ! ricana-t-il. Il n'y est pas ! Mais tu peux toujours aller te faire voir à son presboche.

Zelle le trouva fort sympathique.

— Merci, ma tante ! Bonne fin de journée !

— De rien, ma grande gouine ! À la prochaine !

« Décidément, on n'a plus les bedeaux qu'on avait ! » songea Zelle. Elle allait grimper dans sa Renault lorsqu'une affiche, de l'autre côté de la rue, attira son attention. Elle annonçait :

MASSAGES TOUS GENRES
PAR JEUNES FEMMES
ET JEUNES HOMMES
TRÈS EXPÉRIMENTÉS

Quelle excellente idée ! Surtout après tout le stress qu'elle venait de subir. Elle traversa la rue en vitesse et pénétra dans ce temple du plaisir assuré.

À l'intérieur, une flèche indiquait aux femmes d'emprunter le corridor de droite. Zelle s'y engloutit et marcha jusqu'à un mur de rideaux noirs. Elle les traversa pour aboutir dans une petite salle dorée, ornée de virilité.

Ce qu'elle vit la fit sursauter. Elle croyait avoir aperçu des hommes assis le long des murs latéraux. Mais non ! C'était des chaises ! Des hommes sculptés, en position assise, prêts à accueillir le cul des clientes.

Sur le mur, en face d'elle, la statue d'un homme en érection, debout dans un bassin, faisait office de fontaine. Rêvait-elle ? Non, absolument pas. L'épaisseur du liquide qui jaillissait de la queue ne mentait pas : c'était du sperme ! Une fontaine de sperme ! Qui giclait par à-coups, comme une véritable éjaculation ! Comme c'était original !

Tandis qu'elle essayait de comprendre d'où pouvait bien provenir tout ce liquide, deux mains chaudes et douces se posèrent sur ses fesses. Zelle fut surprise mais ne bougea pas d'un micron. Elle retint son souffle afin d'entendre celui qui se tenait derrière elle. Il respirait avec calme et régularité. C'était rassurant. Elle ne perçut aucun signe de délire qui eût pu lui faire croire que cet homme était un maniaque.

Une haleine chaude et suave titilla son oreille. Zelle frémit et le duvet de son cou se hérissa doucement. Les mains glissèrent sur ses flancs et lui grimpèrent doucement le long des côtes. Les yeux fermés, Zelle souleva les bras avec délicatesse et croisa les mains derrière sa tête. Ses aisselles suintèrent de plaisir sous les doigts habiles qui les escaladaient.

Envoûtée, inondée de tentation jusqu'au bas-ventre par cette surprise tactile, Zelle tenta une volte-face de façon à voir ce qui se rattachait à ces mains de prestidigitateur, mais l'homme l'en empêcha. Elle n'insista pas et s'abandonna plutôt à cette aventure anonyme. D'autant plus que, jusqu'alors, ça ne lui avait pas coûté un rond.

Du bout du pied, l'homme appuya sur un interrupteur et la salle fut plongée dans une semi-obscurité. Puis, il dirigea délicatement sa protégée vers une pièce plus appropriée, mais tout aussi peu éclairée. Quelque chose freina leur déplacement. Du bout des doigts, Zelle devina qu'il s'agissait d'un petit lit ou d'une table de massage. Ravie, adossée à son bienfaiteur, elle savourait les plaisirs de l'imprévisible.

Les mains secrètes s'affairèrent alors à délester Zelle de tous ces tissus qui l'encombraient. Méticuleusement, elles firent tomber, tour à tour, la blouse, le pantalon, le soutien-gorge... Quand vint le temps de faire disparaître la petite culotte, la bouche s'en mêla. Elle assista les mains anonymes avec brio et la chaleur qui en émanait éveilla avec calme les sensations désirées. Zelle avait la chair de poule de luxure.

Il faisait frais mais il faisait bon.

Bientôt complètement nue, elle sentit ses couvre-cœur s'allonger, curieux, avides, à la recherche de galanteries professionnelles. Languissante, Zelle bomba le cul de façon à sentir son homme derrière. Curieusement, il se dégagea et la tint légèrement à distance. Elle l'entendit bouger. Il se déshabillait. Le froissement de ses vêtements dans la pénombre l'excita davantage. Le désir coula sur l'intérieur de sa cuisse.

Le bruit avait cessé. L'homme était probablement nu maintenant.

Les mains se relogèrent sur ses côtes, puis passèrent sur le ventre avec tendresse, entourant le nombril d'un mignon petit triangle phalangien. Quittant le centre du monde, elles parcoururent avec grâce la distance qui les séparait de ses seins et les embrassèrent avec fermeté du creux de leurs paumes. Zelle poussa un petit gémissement de bonheur. L'homme s'appuya contre elle, dans le but de lui faire connaître l'ampleur de son appétit. Elle l'estima long et dur.

Les mains effleurèrent ses trapèzes et vinrent se poser sur ses omoplates. Remplies d'audace, elles poussèrent Zelle à se coucher, face contre table. La pauvre chanceuse se résigna et attendit la suite.

Entraînée par les mains baladeuses, Zelle se plia à un grand écart qui ferma la porte des tabous et ouvrit celle de la volupté. Goulue, la bouche profita de cet abandon pour se désaltérer à même cette source de vie. Zelle se cambra, crispa les orteils, griffa le cuir de la table. Elle s'agrippait à elle-même, essayant de maintenir son bassin bien en place. De frissons en soubresauts, elle voyait les cieux défiler sous ses sens. Elle en était au quatrième quand la bouche, repue, se fit remplacer.

Zelle était suspendue entre au et delà. Elle ne retrouva ses sens que quand la vie pénétra son fort intérieur. Dès lors, elle sut que le satanisme ne l'empêcherait pas de gravir les derniers échelons célestes. Arquée du mieux qu'elle put, ouverte comme une fleur carnivore, Zelle s'offrit totalement à la béatitude turgescente qui s'apprêtait à bénir ses entrailles.

Les secousses la bousculaient, les vibrations sillonnaient la flore de sa peau. À travers les ondes qui chatouillaient chacune des fibres de son être, elle ressentait toutes les jouissances converger vers un même centre de délivrance.

Enfin, dans une symbiose quasi surnaturelle, elle laissa échapper un long cri rauque qui, en un crescendo libérateur, accompagna une orgie de sensations et d'émotions qui la transformèrent bientôt en louve assouvie.

Elle avait atteint le septième ciel.

L'homme se retira sans hâte. Il s'éloigna pour souffler un peu et se rhabilla. Zelle resta étendue, savourant la quiétude des lieux. Quelques minutes plus tard, l'homme revint vers elle.

— Vous voulez voir mon visage ? chuchota-t-il.

Trop tard. Zelle dormait déjà.

VINGT-CINQ

— Bôôôôôôôôôôôôôôôôôôrrrrrrrrrrrrrrrrrrrk !

On avait laissé le pauvre Fido seul avec ses plumes. Oh, bien sûr, ce n'était que temporaire. Et il avait de quoi picorer, de quoi boire, mais aucun salon de massage en vue et personne avec qui palabrer. Qu'il était las !

— Bôôôôôôôôôôôôrrrrrrrrrrrrrrk !

Après avoir fait quatorze fois le tour du bunker dans les deux sens, Fido se percha sur la tête du cercueil de maman Mandant. Sur une patte puis sur l'autre, il fit la navette d'un bout à l'autre de la bière. Qu'il s'emmerdait ! !

— Bôôôôôôôôrrrrrrrrrrk !

Il regagna son perchoir, bouffa quelques graines, but un coup et... pffff... Que faire ? Il se le demandait bien. Une dizaine de battements d'ailes et il était à nouveau perché sur le cercueil. Il regarda en haut, à gauche, à droite, en bas. Rien. Rien à voir. Aucune couleur. Aucun stimulus. Ah si ! Il y avait des ampoules au plafond. En grand explorateur du néant, il vola autour de l'une d'entre elles. Image pitoyable. On aurait dit un immense papillon de nuit atteint de la maladie de Parkinson. Conscient ou non de la chose, il retourna à son perchoir et songea à faire une sieste. Qu'il en avait marre ! ! !

— Bôôôrrrrk !

— Bip !

Ah non ! Comme si ce n'était pas assez de se faire chier à étudier des ampoules dans ce putain de frigo d'acier, voilà que cette saloperie de dispositif émetteur de volonté se remettait à lui casser les pieds avec ses bips de merde ! Fido fixa la machine et se mit à grogner. Qu'il en avait ras le bol ! ! ! !

— Bip !

— Bôrk ! ! ! !

C'en était trop ! Ce générateur de pollution sonore n'avait pas à se mêler à son malheur ! Fido était bien capable de s'emmerder tout seul.

— Bip !

Voilà qu'il rouspétait en plus ! ! ! L'enfant de pute ! Ce salaud allait y goûter ! Superroquet décolla et prit autant d'altitude que le plafond le lui permettait. Il se paya quelques virevoltes, histoire de bien évaluer la position de sa proie et établit une stratégie. À son avis, la meilleure attaque possible devait se faire d'est en ouest sans se servir du bec... pour l'instant. Il n'aurait qu'à écorcher le truc rouge clignotant, juste là, ce qui devait être son cul, revenir à la charge, et achever cette saleté de bestiole en donnant un grand coup de bec sur le bidule vert, juste là, ce qui devait être sa tête.

— Bip !

Sans plus attendre, Fido piqua du nez vers l'ennemi, décidé à le faire payer pour tout ce qui lui arrivait et, surtout, décidé à se désennuyer un peu. L'objectif rouge se rapprochait de sa ligne de tir, grossissait dans sa mire. Fido ouvrit les griffes, prêt à arracher le cul du bipeur. Il n'eut pas le temps de s'exécuter car une petite antenne, placée juste devant la cible, s'emmêla dans ses pattes et l'envoya baiser le plancher. Au cours de sa flexion, l'antenne entra en contact avec l'extrémité d'un fil, ce qui provoqua un court-circuit majeur, du moins à en juger par le minifeu d'artifice qui jaillit de la machine.

À peine décoiffé mais tout de même un peu honteux,

Fido retourna sur le cercueil, pour tenter de piétiner son orgueil de volatile. Il l'ignorait mais son maître aurait été fier de lui. Car il venait mettre hors d'usage le dispositif émetteur de volonté. En revanche, Dilleux ne serait pas fier du tout, puisque cela empêcherait désormais Adèle de recevoir le message suivant :

Tu dois tuer le curé Ré, avec la plus grande discrétion. Tu dois tuer le curé Ré, avec la plus grande discrétion. Tu dois tuer le curé Ré, avec la plus grande discrétion.

Ne se sachant pas héroïque, Fido déprimait. Et il avait mal à une patte. 'ç0ppkmm7yybn5rcxx2ww[1] Un frisson lui traversa le plumage. Couvait-il un rhume ? Une grippe ? Il ne savait pas. Tout ce qu'il savait, c'est que ce frisson grandissait et qu'il semblait prendre naissance à l'extérieur de son corps. Mais… Mais non ! Ce n'était pas un frisson mais une vibration ! Le cercueil vibrait ! Fido se lança dans le vide et plana jusqu'à son perchoir. Il se désaltéra un peu tout en fixant le cercueil.

La boîte s'était calmée. Fido ferma les yeux, convaincu qu'il était capable de rêver à quelque chose de plus con. Une nouvelle vibration le fit sursauter.

— Bôbôbôrk ? lança-t-il en voulant dire : « Il y a quelqu'un ? »

La vibration se transforma en secousses irrégulières qui faisaient dangereusement tanguer le cercueil.

— Bôôôôôôôôôôôôrrrrrrrk !!!

Retour au calme. Fido penchait la tête d'un côté puis de l'autre comme s'il eût cherché à comprendre pourquoi cette caisse avait décidé de prendre vie. Curieux, il partit en vol de reconnaissance, prêt au combat s'il le fallait. Alors qu'il était à moins d'un mètre du cercueil, le couvercle se détacha et tomba sur le sol.

— BÔÔÔÔÔÔRRRRRRRRRK !!!!!?!? cria le perroquet en faisant vol arrière.

1. Pardon, le chat vient de marcher sur mon clavier.

Un voile de saletés s'éleva et une femme, d'une beauté déchirante, sortit de sa lugubre demeure. Elle revenait d'entre les morts. La ressuscitée ouvrit grands les bras et s'examina du mieux qu'elle put. Toutes ces années passées en bière l'avait recouverte de poussière des pieds à la tête. Elle, si belle, avait honte de se voir si négligée. À deux mains, elle se mit en frais d'épousseter sa personne avec vigueur. Un nuage gris se forma autour d'elle. D'un pas rapide, elle en émergea presque immaculée et se mit à danser. Ses cheveux noirs, coupe Cléopâtre, se balançaient autour de sa tête comme autant de petites fées célébrant le retour à la vie. Sa bouche, fine, franche et fraîche comme un pétale mouillé, s'étirait de plus en plus, laissant jaillir un sourire éclatant de sincérité. Elle tournait, tournait, chantait, redécouvrait ses jambes, ses pieds, le contrôle de tous ses muscles... Soudain, elle s'arrêta net et, d'un coup, son petit nez, légèrement retroussé, se vida de trente-sept années de poussière.

— Bôrk ? fit discrètement Fido.

S'essuyant le nez, la dame lui jeta un regard de bonté absolue. Ses yeux pers s'attendrirent à un point tel que Fido vint se poser sur son épaule.

— Oh ! s'exclama la dame, touchée. Le bel oiseau !

— Bôrksi !

— Comment tu t'appelles ?

— Bôôrrk !

— Ah bon ! Eh bien moi je m'appelle Marie ! Madame Marie Mandant !

Du bout de la tête, Fido se frotta contre son cou.

— Ha ! Ha ! Ha ! Tu me chatouilles !

La belle Marie était aux oiseaux. Elle marcha un peu et observa les contours de cette grande pièce froide où elle se trouvait.

— Dis, t'as une idée où on est, mon petit ami ?

— Bôôôôôrrrrrrk !

La porte du bunker s'ouvrit. Elle fit un tel bruit d'enfer que Marie faillit tomber à la renverse. Dilleux entra en remettant de l'ordre dans sa chevelure et aperçut immédiatement Marie. Il s'y attendait mais joua les innocents.

— Marie ! Vous voilà enfin ! Vous allez bien ?

— Qui êtes-vous ? rétorqua-t-elle aussitôt en se demandant pourquoi ce type la connaissait.

— Nous verrons cela plus tard. Pour l'instant, je crois qu'une bonne douche vous ferait le plus grand bien.

VINGT-SIX

Une piscine ! Madeleine avait eu la brillante idée d'entraîner Specteur dans une piscine ! Ainsi, ils pourraient s'étreindre à volonté sans risquer de se retrouver calcinés des pieds à la tête. Cette femme était formidable ! Elle méritait donc une baise tout aussi formidable.

Madeleine descendit l'échelle de la piscine en premier. La vue plongeante qui s'offrait à Specteur le fit pointer dans la direction opposée. Ce corps, qui pénétrait lascivement l'eau salvatrice, réunissait toutes les qualités, tous les atouts des mille plus belles femmes de la planète Nète réunies. Et Spec allait pouvoir se la taper !

La perfection féminine poussa sur ses pieds et fendit l'eau de son dos exquis. Elle flottait avec la grâce d'un nénuphar à la dérive. Seuls émergeaient son visage et la pointe de ses seins. Ses cheveux, ondulant autour de sa tête, auréolaient sa magnificience.

— *Estne quidquam pulchirus ?*

Specteur ne disposait pas de qualités ni de charmes corporels aussi renversants que ceux de Madeleine. C'est pourquoi il opta pour le plongeon, vite fait, bien fait. Il resta sous l'eau plusieurs secondes, lavant son corps de toute angoisse. Quand il remonta à la surface, il nagea aux côtés de sa bien-aimée et les deux assoiffés de chair flottèrent, main dans la main. Le seul fait de pouvoir se tenir, comme ça, sans se faire souffrir, les rassura au plus haut point.

Impatiente de passer à des choses plus sérieuses, Madeleine se dégagea légèrement et se mit en position verticale. Specteur l'imita et les deux amants purent bientôt s'enlacer en toute sécurité. Ils tentèrent d'échanger un baiser mais, leurs têtes étant hors de l'eau, la chaleur les obligea à garder leurs distances. Ils plongèrent donc en chœur et, en une immersion immunisante absolue, soudèrent leurs lèvres jusqu'à ce que le manque d'oxygène les force à regagner la surface. Specteur était plus que ravi. Il avait enfin pu goûter ces lèvres, cette langue qui lui faisait distendre l'homme.

Sa respiration redevenue normale, Spec plongea sous Madeleine et, de bouche de maître, lui prodigua des félicités buccales qui la jetèrent en transe. Entre rires et pleurs, la belle s'agitait de bonheur, les bras tendus, fouettant l'eau tiède tout autour, à la recherche de quelque chose à agripper, à presser, à lacérer.

Spec refit surface et colla son envie contre le ventre de Madeleine. Elle chavira, plongea à son tour et dégusta la tension charnelle de son vigoureux partenaire. Specteur la voyait à l'œuvre ; ses cheveux allant et venant dans le fluide bleuté de la piscine. Jamais il n'avait connu pareille habileté, pareille chaleur. Sa mémoire sensorielle enregistrait chaque petit mouvement, chaque secousse, chaque variante…

Madeleine émergea, souriante, et poussa Specteur vers l'échelle. Dans l'eau jusqu'au cou, elle s'assit sur son aimé et l'accueillit doucement. Spec se sentit enveloppé d'une chaleur humide qui lui tendait l'oblique de façon presque inquiétante. Ce pilotis qui soutenait Madeleine n'était pas près de céder.

La faible gravité qui régnait dans l'eau donnait à chacun de leurs mouvements une limpidité inespérée. L'absence d'effort soutenu ménageait leurs muscles et leur permettait de ressentir pleinement les va-et-vient au centre de leur plaisir.

Il leur sembla que l'eau avait gagné quelques degrés. Loin de s'en formaliser, ils accélérèrent plutôt la cadence et s'immergèrent totalement afin de pouvoir s'embrasser à souhait. Ne formant plus qu'un, les amants donnaient du bassin, créant de petites vagues qui les berçaient vers l'extase.

La chaleur continuait sans cesse d'augmenter. Specteur avait l'impression d'être dans une baignoire dont on aurait oublié de fermer le robinet d'eau chaude. Madeleine ne se plaignait point. Elle se contentait de miauler doucement en flirtant avec la jouissance.

Une vapeur commença à s'échapper de la surface de l'eau. Heureusement, Specteur constata que Madeleine avait la bouche grande ouverte, que ses yeux se révulsaient lentement, que ses doigts se crispaient sur sa peau, bref, qu'elle était à deux pas de l'orgasme. La température de l'eau allait bientôt devenir insupportable lorsqu'une longue plainte roucoulante jaillit du fond des entrailles de la bienheureuse. Sa voix courait sur l'eau et grandissait, se répercutait en distorsions diverses. Specteur se sentit également partir et hurla à s'en dévisser la glotte. On criait de douleur et de bonheur. De temps à autre, les déchaînés se retrouvaient, malgré eux, la tête sous l'eau. Les « Oooooh ! » et les « Aaaaahh ! » prenaient alors une tournure rigolote car on aurait dit que les jouisseurs se gargarisaient de leur orgasme.

Les derniers soubresauts furent accompagnés d'une poussée de chaleur qui alarma les amoureux. Ils devaient sortir de la piscine au plus vite ! Mais la vapeur était devenue telle qu'on n'y voyait plus rien. Où était l'échelle ? Où était cette putain d'échelle ? Madeleine suffoquait. Spec n'avait nulle envie de la voir sombrer dans une crise d'hyperthermie. Il la prit par la main et la conduisit jusqu'au bord de la piscine. La pauvre se hissa de peine et de misère et s'étendit sur les dalles fraîches. Specteur la suivit et s'étendit près d'elle. Les deux amants retrouvèrent, peu à peu, une température corporelle normale.

— C'est l'expérience la plus belle et la plus troublante de toute ma vie…, murmura Madeleine.

— Je n'ai jamais vécu de sensations aussi fortes non plus, confia Specteur dans un souffle. Mais la prochaine fois, nous devrons sortir plus tôt. J'ai craint pour ta vie…

Avec raison. L'eau en était à moins de dix degrés de son point d'ébullition.

VINGT-SEPT

Quand mademoiselle Zelle s'éveilla, un sourire tatoué sur le visage, elle considéra sa position pendant quelques secondes. Elle était nue, à plat ventre sur une table de massage, les jambes écartées à un point tel qu'on eût dit que ses pieds s'étaient disputés. Ce n'était pas tout à fait le moment de prendre une photo passeport.

Elle se releva en vitesse et enfila ses fringues. Courbaturée mais heureuse, elle sortit de la chambre à la recherche de quelqu'un à qui payer ce massage qui était tout sauf un massage. Dans la salle dorée, la statue éjaculait toujours, mais personne à part Zelle pour en apprécier la régularité.

— C'est gratos ou quoi ? lança-t-elle aux murs.

Aucune réponse. Elle décida de foutre le camp. Partir sans payer ne lui ressemblait pas mais elle avait d'autres chiens à éviscérer[1]. Il lui vint soudain à l'esprit que son bienfaiteur lui avait peut-être fait les poches pendant qu'elle dormait. Elle y plongea les mains et sortit ses billets. Tout était là. Tout était là, plus un petit mot griffonné sur un bout de papier bleu. Elle lut :

Le premier massage est gratuit pour une si jolie dame. Au plaisir de vous revoir, de dos ou de face…

Celui qui…

1. Il s'agit là d'une variante pour « d'autres chats à fouetter ». Merci de vos applaudissements.

Zelle rigola un bon coup puis sautilla gaiement jusqu'à la sortie. Elle allait ouvrir la porte quand une main se glissa avec douceur dans la sienne. Son cœur frappa trois grands coups. Ciel ! Était-ce son « masseur » ? Elle hésita un moment puis se retourna. C'était l'inspecteur Specteur. Son inspecteur à elle. Il souriait et la complicité lui remplissait les yeux. Zelle lui rendit son sourire, doublé d'un élan de tendresse. Debout devant la porte, hors du temps, hors du monde, ils se regardèrent ainsi pendant de longues minutes sans ressentir le besoin d'émettre le moindre son.

— *Turpe est mentiri*, finit par dire Specteur.

Une fois dehors, on changea totalement d'attitude.

— Alors, quoi de neuf ? demanda Specteur qui sentait que son enquête réclamait un peu de rigueur.

— J'ai vu Adèle.

— Quoi ?

— Il avait acheté un sac de je-ne-sais-quoi dans une animalerie.

— Putain !

— J'ai essayé de l'intercepter mais il m'a semé.

— Saloperie ! Ce Dilleux de merde a sûrement fait de lui son esclave !

— Qu'est-ce que Dilleux a à voir là-dedans ? demanda Zelle qui n'avalait pas ce raisonnement hâtif.

— De quelle couleur était le sac ?

— Je t'ai posé une question, dit Zelle, contrariée.

— Réponds-moi d'abord et je t'expliquerai ensuite.

Elle se résigna.

— Rouge.

— C'est bien ce que je pensais. Adèle a acheté des graines pour Fido.

— Et qu'est-ce que Dilleux a à voir là-dedans ? insista Zelle.

— Qui d'autre que ce trouduc a intérêt à entrer chez moi, à s'emparer de Fido et à laisser le reste de mes biens intact ? Un vrai voleur aurait fouillé partout, dérobé des bidules faciles à revendre. Un vrai voleur ne se serait pas encombré d'un putain de perroquet!

Spec n'avait pas tort. Zelle en convint.

— De ton côté, demanda-t-elle à son tour, quoi de neuf?

L'inspecteur lui relata aussitôt l'épisode des gosses à vélo. Zelle tomba des nues.

— Comment est-ce possible?

— Tout est possible pour Dilleux Lepaire, sauf l'élimination de Satan ou de l'un de ses suppôts. Mais, pour qu'il se donne autant de peine, il faut qu'il soit vraiment sûr de son coup. Et je crains fort qu'il ne le soit...

L'inspecteur Specteur et mademoiselle Zelle se plongèrent dans leur cerveau. Mais tout était si sombre, si obscur, qu'il était difficile de savoir où donner de la tête.

— J'ai une idée, fit Spec.

Il avait peut-être trouvé une façon de ramener Adèle. Pour ce faire, il avait besoin de son pote, Ré.

— Pendant ce temps, rends-toi à la Mairie et demande le plan des égouts de Capit. Il y a sûrement une façon de pénétrer dans le bunker de Mandant.

— Bien.

— Rendez-vous dans deux heures dans la Bouche du Grand Nain.

— Entendu.

Sourcils froncés, chacun partit de son côté. Arrivé chez le curé Ré, Spec dégaina son .666 et tira une dizaine de coups dans les airs. Il n'avait pas de temps à perdre. Le prêtre sortit en panique.

— Quoi! Quoi! Ah c'est toi Spec! Qu'est-ce qu'il y a? Tu m'as foutu une de ces trouilles!

— Allez monte! Je crois que j'ai trouvé une façon de retrouver Adèle.

— J'arrive! lança Ré en retournant dans le presbytère.

— Qu'est-ce tu fous!!?

— J'arrive tout de suite!

Bien qu'emballé à l'idée de retrouver sa bonne, Ré n'allait tout de même pas partir sans sa coco.

Spec poussa sa Renault à fond, jusqu'au Grand Nain. Une fois sur place, les deux hommes montèrent à l'Oreille Est. C'est là que se trouvait l'un des studios d'enregistrement les plus sophistiqués de Capit. Le patron, un homme du nom d'Ulosba Eyero accueillit l'inspecteur Specteur et le curé Ré avec beaucoup de classe.

— Messieurs, si vous voulez bien me suivre, je vous prie.

Il les fit pénétrer dans un grand salon ovale dont les murs étaient entièrement faits de haut-parleurs de toutes sortes et de toutes grosseurs. Une musique au rythme doux et enivrant voyageait autour d'eux. Eyero apporta une bouteille de champagne dans un seau glacé. Ré s'empressa d'en ingurgiter presque la moitié tandis que Specteur réglait les formalités.

— Quand pouvons-nous procéder à un enregistrement ? demanda-t-il.

— Tout de suite, si vous voulez, répondit Eyero. Mais ce n'est pas donné. Nos studios se louent dix mille friands l'heure, vous savez.

— L'argent n'a pas d'importance. Allons-y !

Eyero eut un sourire amusé.

— Je veux bien, dit-il. Mais il faudrait que je connaisse la nature de votre enregistrement afin que je puisse déterminer quel type de micro je dois utiliser, quel studio serait le plus approprié…

— Le meilleur studio et le meilleur micro. Nous ne voulons enregistrer que du texte, mais nous voulons le son le plus pur possible. Allons-y !

— Bien. Nous enregistrons votre voix ou celle de monsieur le curé ?

— Celle du curé. Allons-y !

— Vous croyez vraiment qu'il est en état d'enregistrer quoi que ce soit ?

Ré était déjà passé au travers de la bouteille de champagne et s'essuyait les lèvres avec un coin de sa soutane. Spec lui jeta un regard complice.

— Ré ! dit-il. Va aux chiottes te poudrer un peu. On a un enregistrement à faire.

— Tout d'suite ! fit le prêtre en titubant jusqu'aux toilettes.

Eyero le regarda marcher en hochant la tête. « Ce doit être le genre de curé à avoir un minibar dans son confessionnal... », se dit-il.

Au bout d'une minute, le prêtre réapparut, frais comme une rose noire. Il avait les yeux gros comme des boules de billard et jacassait comme une pie.

— Ça va ! Je suis prêt ! Où on va ? Qu'est-ce que je dis ? Vous avez un casque d'écoute ?

Specteur le calma à coups de « La ferme ! », « Attends un peu, merde ! » et « Non, mais tu vas la fermer, ta grande gueule ! », et on entra finalement dans le studio. Au coin d'une table, Spec griffonna un texte en vitesse. Ré s'installa derrière le microphone et balbutia du mieux qu'il put.

Une heure et demie plus tard, tout était dans la boîte. On descendit jusqu'à la Bouche du Grand Nain où mademoiselle Zelle attendait déjà.

— T'as fait vite ! dit Specteur.

— J'ai usé de ma féminité, avoua-t-elle, coquine.

Elle jeta un coup d'œil à Ré. Il venait à peine de s'asseoir qu'il roupillait déjà et bavait sur sa soutane.

— Putain... Il vient de baiser le pape ou quoi ? Il semble exténué !

Les oreilles d'Eyero rougirent aussitôt.

— Allons, allons ! lança Spec. Inutile de dire des grossièretés... Ré s'est seulement fait enculer par une bouteille de champagne, c'est tout.

Eyero se racla la gorge afin de réorienter tout le monde vers un langage plus poli.

— Si je vous ai bien compris, dit-il, vous voulez que

le message que nous venons d'enregistrer avec monsieur le curé soit diffusé, par la Bouche du Grand Nain, une fois toutes les cinq minutes. C'est ça ?

— Exact, fit Spec.

— Pendant combien de temps ?

— Le temps qu'il faudra.

— Mais encore ?

— Je ne sais pas, moi. Un jour, une semaine, un mois...

— Vous savez qu'il vous en coûtera très cher !

— M'en fous ! Je vous ai dit que l'argent n'avait pas d'importance.

Sur ces mots, Specteur plongea la main dans sa poche et sortit une liasse de billets.

— Tenez ! fit-il en les tendant à Eyero. Voici cinq cent mille friands. Cette avance vous ira ?

Eyero écarquilla les yeux.

— Tout à fait, monsieur l'inspecteur, tout à fait.

Il glissa l'argent dans la poche de son veston.

— Quand dois-je procéder à la première diffusion ?

— Dans cinq minutes ! Le temps que nous descendions écouter cette voix angélique de la rue.

— D'accord.

On tira Ré de son coma éthylique et les trois acolytes s'installèrent aux premières loges, c'est-à-dire aux pieds du Grand Nain. Une minute suffit avant que ne retentisse la voix de Ré. La bouche du Grand Nain, armée de neuf cent mille watts de puissance, supplia :

ADÈLE, ICI LE CURÉ RÉ. REVIENS TOUT DE SUITE À LA MAISON. ICI LE CURÉ RÉ. REVIENS TOUT DE SUITE À LA MAISON, ADÈLE.

Ici et là, dans les rues de Capit, les têtes se tournèrent vers le ciel. On se demandait bien à quoi rimait ce texte incongru.

Au son de sa voix qui emplissait la ville, le curé Ré ne put se retenir : il eut une érection.

VINGT-HUIT

Fido en était à sa dixième tentative de décollage, aussi vaine que les neuf autres. Tant pis. Il se résigna à faire la seule chose qui lui rappelait son maître dans cette cage bunkérisée : bouffer des graines.

— Bôrk ! Bôrk ! Bôrk !

— Pardonnez-moi d'insister autant, cher monsieur Soglas, mais êtes-vous certain que ce satané perroquet a bien appris sa leçon ?

Le vieux môme ferma les yeux et croisa les mains.

— Je vous le jure ! J'ai fait le test une centaine de fois et ça fonctionne à tout coup. Chaque fois que je dis son nom, il répète invariablement la phrase que nous lui avons apprise.

— Parfait !

Dilleux était satisfait de sa brebis.

— J'ai une mauvaise nouvelle à vous apprendre, dit Soglas.

Dilleux était moins satisfait de sa brebis. Son sourire mourut en silence. Ah là là ! C'était là la seule chose qu'il ne voulait pas entendre. Bien qu'il fût légèrement contrarié, il essaya de conserver une douceur acide dans les yeux afin de ne pas effrayer le petit Soglas.

— Nous sommes si près du but…, dit-il en exagérant un sourire. J'espère, du fond de mon cœur, cher compère, qu'il ne s'agit que d'une peccadille qui ne risque pas d'entraver mes plans. Sans quoi…

— Sans quoi... ? demanda Soglas, inquiet du ton qu'empruntait soudain son supérieur.

— Sans quoi, mon précieux ami, vous serez en mesure de constater s'il est vrai ou non que Dilleux est miséricordieux.

La langue sèche comme une ride de nonne, Soglas essaya de déglutir, en vain. Dilleux le crucifiait du regard. Il était planté dans le sol et ne remuait pas un cil.

— Alors ? Quelle est-elle, cette mauvaise nouvelle ?

Soglas toussota de façon à aiguiser sa voix testiculaire et déclara timidement :

— Adèle n'est plus sous notre contrôle.

Dilleux haussa les sourcils.

— Comment cela, je vous prie ?

— Il semblerait que, pendant notre absence, le perroquet ait heurté l'antenne et créé un court-circuit. C'est pourquoi je l'ai attaché à son perchoir.

— C'est tout ?

— Oui.

— Ce n'est rien, mon ami ! Il vous suffit de le réparer !

— C'est que... il me faudrait au moins un mois... L'intérieur de l'émetteur est complètement calciné.

La lèvre supérieure frémissante, tremblotante comme nudiste au pôle Nord, Dilleux baissa la tête. Il la releva, deux secondes plus tard, chargée d'un immense rire de femelle. Il en pleurait, le pauvre chou. Soglas respirait mieux mais n'osait trop se laisser aller à rire en chœur avec cette tessiture efféminée.

Après cette quinte de rate solitaire, le divin personnage épongea son glorieux front et poussa un « Aaaaahhh... » de détente.

— Allons, ne vous en faites pas, cher bras droit. Que nous ayons perdu le contrôle d'Adèle, cela signifie simplement qu'il n'a probablement pas eu le temps d'éliminer le prêtre. C'est tout !

— Il faudra changer le code d'entrée pour éviter qu'il ne revienne nous visiter en mauvaise compagnie.

— Bonne idée !

Bienheureux était Dilleux.

— Eh bien, dit-il, somme toute, cette nouvelle n'est vraiment pas la fin du monde...

Il réfléchit un instant, puis ajouta :

— Mais c'est pour bientôt quand même !

Sa rate venait de reprendre du service quand un cri d'horreur éclata au loin. Les deux hommes, ou plutôt l'homme et l'homme-enfant, ou alors l'homme et l'enfant adulte, ou l'homme et l'enfant du troisième âge, enfin, les deux humains qui discutaient précédemment s'exclamèrent simultanément :

— C'est Marie !!!

Ils coururent à toutes jambes jusqu'à la chambre et la trouvèrent nue, à genoux sur son lit, l'entrejambe dégoulinant de sang. Elle hurlait, pleurait, s'arrachait les cheveux. Elle implorait le ciel de la laisser retourner dans son cercueil.

— QU'EST-CE QUI M'ARRIIIIIIIVE !!!!??? HUUN ! HUUN ! HUUN ! DITES-MOI CE QUI M'ARRIIIIVE ! !??

Un cordon ombilical pendouillait entre ses cuisses, jaillissant de son sexe meurtri.

— Magnifique..., murmura Dilleux pour lui-même. Magnifique... Nous sommes dans les temps...

VINGT-NEUF

Tu dois tuer le curé Ré, avec la plus grande discrétion. Tu dois tuer le curé Ré, avec la plus grande discrétion. Tu dois tuer le curé Ré, avec la plus grande discrétion.

Voilà ce qui résonnait dans le ciboulot d'Adèle depuis une demi-heure. Suivant les ordres de cette voix intérieure, il passa au presbytère. Le prêtre n'y était pas. Restait l'église. Adèle s'y rendit, se planta devant et réfléchit autant que faire se pouvait. Si Ré était en pleine messe, le meilleur moyen de l'abattre sans témoin était de l'attendre patiemment dans la sacristie. Il s'y dirigea donc d'un pas discret après avoir fourré son 9 mm dans son dos.

À mi-chemin, il aperçut le bedeau, affairé à dorloter un rosier. Adèle fit semblant de ne pas le remarquer et poursuivit son chemin en regardant droit devant lui.

— Holà, mon beau ! cria le bedeau qui l'avait entrevu du coin de l'œil. Où tu vas comme ça ?

Adèle stoppa et, sans se retourner, lança :

— Voir un ami…

— Tiens donc !

En deux pas et demi de gazelle, le gai luron était devant lui. Ré n'avait jamais amené Adèle à l'église. Il voulait éviter les racontars. Aussi le bedeau n'avait-il jamais croisé cette tête monstrueuse. À la vue des stries et cicatrices qui déformaient le visage d'Adèle, il eut donc un mouvement de recul.

— Hou! Saloperpopette! Qu'est-ce qui t'es arrivé? T'es tombé tête première dans un broyeur à déchets ou quoi?

— Je vais voir un ami, se contenta de répondre Adèle.

— Je sais, je sais, je suis pas sourde!

La vilaine le dévisagea.

— T'as pas une très belle gueule, ma chérie, mais le reste m'a l'air en parfait état de fonctionner. Et puis tu m'as tout plein de muscles! Comment tu t'appelles?

— Je vais voir un ami.

— Aaaaah! Ce que t'es ennuyeuse à la fin! fit le bébé gâté en tapant du pied. Qu'est-ce qu'il a de plus que moi, ton ami, hein?

— Je vais vo...

— Bon, ça va, ça va! J'ai compris...

Le bedeau se forgea une bouche de boudeuse.

— Tu sais mon trésor, je suis désolé, mais je peux pas te laisser passer. Je suis responsable de la sacristie, sapristi...

— Je vais...

— Stop! Je sais ce que tu vas me dire!

Exaspéré, le bedeau commençait à se demander s'il n'avait pas affaire à un descendant direct des ancêtres de l'asperge. Toutefois, s'il était aussi bête qu'il le laissait croire, il valait peut-être la peine de profiter de la situation. Le bedeau tenta sa chance.

— Bon! Écoute! Je veux bien te laisser passer... mais à une condition...

Au même moment, le dispositif émetteur de volonté cessa d'envoyer son message. Adèle devint aussitôt hagard et son regard se vida de toute initiative. Il était désormais soumis à la volonté du premier venu. Le bedeau, qui n'avait pas remarqué cette soudaine perte d'autonomie, poursuivit sa requête:

— ...que tu me prennes dans tes bras.

Devant l'imprécision de sa demande, Adèle ne broncha point. La profiteuse se permit d'insister.

— Allez, voyons ! Ce n'est rien ! Prends-moi dans tes bras... et je te laisse passer.

Voilà qui était beaucoup plus clair ! Adèle s'exécuta aussitôt à la grande surprise de la grande. Le bedeau était très excité par cette soumission inattendue. Aussi, osa-t-il pousser le jeu un peu plus loin. Le menton sur l'épaule de sa nouvelle conquête, il murmura :

— Si tu me prends les fesses à deux mains, je vais même déverrouiller la porte de la sacristie...

Adèle ne saisit pas le caractère singulier de cette demande. Elle n'était pas assez impérative. Il ne réagit donc pas, ce qui ramollit un peu le bedeau. Le malin vicieux n'abandonna pas pour autant. Puisque l'étreinte n'avait eu lieu qu'après deux sollicitations, il fallait probablement demander aussi deux fois pour les fesses[1]. Ce qu'il fit sans tarder.

— S'il te plaît, prends mes fesses à deux mains.

Le bedeau se sentit aussitôt agrippé par derrière. Il n'en croyait pas son cul ! Cet homme avait une de ces poignes ! Il profita du momentum pour faire un pas vers le stupre.

— Embrasse-moi comme une grosse salope et serre-moi la bite !

Ce coup-ci, Adèle opéra immédiatement. De sa grande bouche striée et difforme, il engloutit la moitié du visage du bedeau et l'enduisit d'une salive chaude et gluante, pendant que, de sa main droite, il lui pressait la gaule d'un geste dénué de toute sensualité. Le bedeau frôlait l'hystérie. Il se détacha soudain d'Adèle et le regarda dans les yeux. Impassible, l'esclave défiguré attendait de nouvelles instructions. Elles ne tardèrent pas. Le bedeau détacha sa ceinture, baissa son pantalon et s'écria :

1. Normal puisqu'il en avait deux.

— Suce-moi la bite ! Vite ! Suce-moi la bite !

Adèle s'agenouilla sans enthousiasme. Il avança nonchalamment la tête. Soudain, un son aigu, strident, venu du ciel, scia l'atmosphère. Le bedeau sursauta et fit un pas en arrière. Retentit alors, à un volume inimaginable, une voix qu'Adèle connaissait bien.

ADÈLE, ICI LE CURÉ RÉ. REVIENS TOUT DE SUITE À LA MAISON. ICI LE CURÉ RÉ. REVIENS TOUT DE SUITE À LA MAISON, ADÈLE.

En entendant son nom, l'interpellé se releva sans hésitation aucune et se dirigea vers sa bagnole. Les pantalons aux pieds, le bedeau trépignait derrière lui en essayant de se reculotter.

— Hé ! Ho ! Qu'est-ce que tu fais ? Reviens ici tout de suite ! Reviens ici, j'te dis !

Adèle ne l'entendait déjà plus. Trop enflammé pour pleurer, le bedeau tourna le dos et se secoua le frustré.

Comme quoi trop grande perversion parfois ramène à l'onanisme.

TRENTE

— Et celle-là qui me dit: « Mon Père, je m'accuse d'avoir tirer une maille dans mon bas nylon à cause d'un ongle mal entretenu… » « C'est un péché, ça ? » que je lui dis. « Bien sûr, mon Père », qu'elle me répond. Je lui demande alors: « À qui avez-vous donc fait du mal en tirant une maille de votre bas sinon au bas lui-même ? » Elle me regarde alors d'un drôle d'air et lance: « Mais, à la personne qui s'était donné la peine de me confectionner une paire de bas nylon qui devait me rendre heureuse, voyons ! »

— Incroyable ! fit Zelle.

— Quelle connasse ! ricana Specteur.

— Et vous savez quoi ? Je lui ai balancé quatre *Notre-Père* et dix *Je vous salue Marie* de pénitence !

— Oh là là !!! Elle n'avait rien trouvé de mieux à dire à confesse ?

— Hélas, non !

Zelle était emballée par toutes ces histoires. Et Ré en avait encore tout plein comme celle-là.

— Une autre ! s'écria-t-elle, enjouée. Une autre !

— Une seconde, veux-tu ?

Le prêtre déballa son sac de poudre pour la xième fois et donna dans le dix centimètres. Il avait presque fait un chemin de croix complet avec sa farine tellement il en avait tiré de lignes dans la soirée.

— Arrête un peu, vieux ! supplia Spec. Si tu continues comme ça, tu vas chier de la neige !

— C'est pas grave ! T'auras qu'à la pelleter !

Zelle s'imagina le curé accroupi, la soutane relevée par-dessus la tête, et Specteur attendant la première bordée, sa pelle sur l'épaule. Elle poussa un long rire aigu qui la fit hoqueter. En l'entendant, Ré pouffa à son tour d'un ricanement morveux qui lui libéra les voies nasales mieux que ne l'aurait fait une perceuse. Spec retint son souffle de façon à ne pas céder à l'effet d'entraînement.

— Bon, allez ! Ça fait déjà une heure qu'on est là à espérer qu'Adèle reviendra et moi, je ne tiens plus en place. Tes histoires de confession sont vraiment trop, mais moi, j'ai vachement besoin d'alcool ! Alors, si ça ne t'ennuie pas, mon vieux Ré, je vais aller boire un coup. D'accord ?

— Oui, vas-y mon pote ! Si Adèle arrive entre-temps, je t'appelle sur ton portable ?

— Tout à fait, oui !

— Tu veux que je t'accompagne ? demanda Zelle en s'allumant un cigarillo.

— Tu peux rester, si tu veux.

— Parfait ! Je vais pouvoir entendre d'autres histoires !

— Mais tu ne touches pas à cette putain de poudre, hein ?

— T'inquiète, papa..., souffla-t-elle, langoureuse. Je serai sage...

Sur ces mots, elle s'agenouilla aux pieds de son inspecteur favori et, du bout des lèvres, projeta des petits cercles de fumée autour de sa braguette. Le prêtre la regardait faire avec une moue de dédain.

— Dégueulasse ! s'insurgea-t-il. Quand je pense que tu mets ça dans ta bouche !

— T'es jaloux parce que tu sais que tu te brûlerais en lui faisant la même chose.

— Salope ! s'écria Ré, incapable d'étouffer une seconde crise d'hilarité.

— Vous n'êtes que des enfants ! cria Specteur en sortant.

Il courut jusqu'à sa Renault et démarra en trombe. Son taux d'alcoolémie était à zéro depuis vraiment trop longtemps. Son ventre le faisait souffrir et, à tout bout de champ, des frissons lui donnaient la chair de poule.

— Fonce, ma belle, allez fonce…, murmura-t-il à sa bagnole.

L'enseigne de la Taverne Occulte lui sourit enfin. Le frein à main tiré jusqu'au plafond, la Renault dérapa de biais et glissa jusqu'à s'immobiliser à un millimètre d'un platane[1]. Spec sprinta jusqu'à la Taverne et se commanda trois belles grosses bouteilles de Maiissìhkh bien fraîches. Il en engloutit une en moins de deux secondes[2]. Son ventre gargouilla de bonheur et la chair de poule retrouva ses plumes.

La place était calme et il en fut fort aise. Il n'y avait que deux couples installés à une table. Curieusement, l'un des deux hommes était en fauteuil roulant. Ce devait être un suppôt tout frais. Heureusement, il marcherait à nouveau dans moins d'une semaine, grâce à Satan. Il était comme ça, le patron de l'enfer. Il ne supportait aucun invalide parmi ses suppôts.

Specteur s'installa dans un coin tranquille et décida d'étudier le plan des égouts de Capit. La maison de Mandant, ou plutôt le bunker, était situé au nord-ouest de la ville. En haut à gauche sur la carte.

En repérant, du bout du doigt, la position exacte du bunker, il eut un choc et sentit son cerveau se rembobiner malgré lui.

— Putain…

Sur le dessin que Mandant avait tracé par terre, chez le pomiculteur, les bonshommes étaient situés au même endroit. En haut à gauche. Au nord-ouest.

— *Et ça ? C'est toi aussi qui les as dessinés ?*

1. N'essayez pas ceci à la maison.
2. Essayez ceci à la maison.

— *Voui...*

— *C'est qui ?*

— *Le petit là, c'est moi ! Et le gros, c'est ma maman !*

L'inspecteur Specteur se rappelait parfaitement cette conversation puérile.

— *Le petit là, c'est moi !*

Le petit, c'était lui. Mandant savait donc déjà qu'il allait rajeunir. Tout était prévu ! Et tout s'était révélé exact !

— *...Et le gros, c'est ma maman !*

Le gros, c'était sa maman. Elle était donc avec lui, au bunker ? Insensé ! Sa mère était morte quelques jours après sa naissance. Quiconque connaissait Mandant avait déjà entendu son histoire. Après l'accouchement, la pauvre femme avait subi une hémorragie interne qui ne lui avait laissé aucune chance.

Insensé !

Par contre, si Mandant avait eu raison en prédisant son rajeunissement, pourquoi se serait-il gouré à propos de sa mère ? Specteur ne comprenait rien à toute cette manipulation temporelle. Le fait d'avoir terminé sa deuxième bouteille de Maiissìhkh ne l'aida pas vraiment non plus.

— *Animi motus rationi non obtemperantes !* babutia-t-il.

Spec commençait à siphonner la troisième quand un haut-le-cœur l'étouffa. Il venait d'avoir une illumination.

— Les cercueils ! s'écria-t-il en crachant ses bronches. Les cercueils, putain, les cercueils !!!

On avait volé trois cercueils. Il y avait celui de son père, celui de sa mère et ce troisième, qui portait la mention *Nom inconnu* sur les nouveaux cadastres. Aucun doute possible ! Ça ne pouvait être que le cercueil de maman Mandant !

Spec eut soudain un sérieux coup d'angoisse. Les trois cercueils ayant disparu en même temps, cela voulait probablement dire qu'ils étaient dans le bunker.

Le ventre bouillant comme le centre d'un volcan, Specteur se leva en renversant sa table avec une violence taurine.

— Aaaaarrrrrrggghhh!!!! Chienne de putain de salope de vie merdique dégoulinante de rot fécale de chiasse de cul de nonne écartelée de sbwefkwâââââââarpss...

Cette éructation monumentale l'empêcha d'aller plus loin dans sa tirade existentielle. Il tituba jusqu'à la sortie en se disant qu'il valait mieux aller dormir. Demain, il serait en forme pour aller défoncer cette saloperie de bunker à coups de bulldozer, de tank ou de bombe atomique s'il le fallait. Pas question que les cercueils de ses parents demeurent entre les mains de ces truands.

Il eut à peine le temps de humer la fraîcheur fin d'automne qui régnait à l'extérieur que son portable gloussa.

— Ouâllo! balbutia Spec. Salut vieux... Oui... Alors...? Je t'écoute... Bon... Tant mieux... Je savais que ça marcherait... Il va bien...? Parfait... Bon, eh bien à dem... Hein...? Quelle autre nouvelle...?

Les mots qui aboutirent dans le creux de son oreille lui firent l'effet de vingt-cinq hoquets simultanés.

— Quoi!!!?? T'en es sûr!?!?? Merde...

Spec bredouilla un «au revoir» incompréhensible et coupa la communication. «Inutile d'être en forme demain, alors...», pensa-t-il.

Puisque le bunker avait disparu, aussi bien retourner à la Taverne Occulte où des centaines de bouteilles de Maiissìhkh flambant neuves l'attendaient.

TRENTE ET UN

Des deux mains, Marie s'empara de son cordon ombilical et essaya de le déloger de son ventre. Pris de panique, Dilleux s'élança sur elle et lui écarta les bras. La malheureuse hurlait, rugissait, ruait de toutes ses forces. Entraîné par les mouvements, le cordon ondulait sur les draps, tel un serpent bouffeur d'intérieur. Désespérée, Marie ramena un pied vers elle, écrasa ce fil maudit qui lui rappelait la mort et s'arqua de façon à l'extraire de ses viscères.

— Tenez-lui les pieds ! hurla Dilleux à l'endroit de Soglas.

Le vieil enfant l'agrippa et la tint en place du mieux qu'il put. Dilleux tira des menottes de sa poche et enchaîna Marie à la tête du lit. Enragée, elle plongea les dents dans sa joue tendre et juteuse.

— Aaaaaaaarrrrrrhh ! brailla Dilleux en sentant sa divine viande se déchirer.

Impossible de se défaire de cette prise. Marie avait des dents d'acier. D'un poing céleste, il la frappa en plein ventre. Elle s'étouffa et desserra la mâchoire. La bouche grande ouverte, Marie haletait, ses cordes vocales chuintaient ; elle avait un mal fou à reprendre son souffle. La misérable n'avait même plus la force de repousser Dilleux qui, maintenant, l'écartelait pendant que Soglas fixait ses chevilles au pied du lit à l'aide de sangles de cuir.

— Aaahh... voilà une bonne chose de faite..., souffla Dilleux en se redressant.

Les marques de dents formaient sur sa joue un baiser de haine rouge vif. Il porta les mains à son visage et les garda en place une dizaine de secondes. Quand il les retira, sa plaie avait disparu.

— Vous êtes le diable! siffla Marie en constatant le miracle.

— C'est tout le contraire, ma chère! lança Dilleux, tout sourire.

Elle lui cracha au visage.

— Je souhaite vous voir croupir dans la merde éternelle!

Dilleux s'essuya d'un geste distingué.

— Marie, ma belle Marie, ce n'est pas un langage pour une jeune femme qui a votre élégance.

Un flux sanguin meurtrier envahit les yeux de Marie.

— Vous me trouvez élégante!!?! Espèce de sadique! Écartelée ainsi devant vous et cet enfant qui semble tout aussi bizarre et malsain que votre monstrueuse personne! Vous mériteriez qu'on vous... AÏE!!! AAAAGGGHHH!

Dilleux ne sut jamais combien il avait de mérite.

— C'est l'heure, monsieur Soglas! Allez chercher le bébé! Vite!

Marie était prise de spasmes et de convulsions terribles. Son cordon ombilical s'allongeait encore et son sexe s'élargissait de plus en plus. Oh qu'elle souffrait! Elle était terrorisée. Tout ce qui lui arrivait était si invraisemblable, si irréel, qu'elle avait l'impression d'être à l'extérieur d'elle-même, spectatrice impuissante d'un horrifiant cauchemar devant inexorablement la mener vers d'indicibles douleurs. Elle n'eut pas le temps de s'angoisser davantage. Un choc corrosif lui traversa les tripes et elle s'évanouit.

— Bon, voilà qui est bien. Nous allons avoir un moment de répit.

Soglas ramena bébé Mandant emmitouflé dans une

couverture. Il le déposa délicatement entre les jambes de Marie et le dénuda. Le bébé se mit aussitôt à pleurer à en déchirer douze cœurs de mamans. Ce qui ne plut pas aux tympans de Dilleux.

— Ah, que ces étapes sont longues et pénibles ! gémit-il en vérifiant la propreté de ses ongles.

Au bout d'une minute, le poupon s'arrêta net. Une grande flaque de liquide amniotique naquit alors lentement à la surface du lit. Puis, petit à petit, le bébé se recouvrit d'une gélatine blanche et gluante.

Marie reprit conscience. Elle était complètement égarée. Où était-elle ? Que faisait-elle attachée au lit ? La mémoire lui revint très rapidement quand elle se rendit compte que son cordon ombilical était en train de se ressouder à celui du bébé. Elle s'affola et tira sur ses pieds et ses mains afin de se libérer.

— Aaaaaaaaaah ! Au secoooours ! À l'aiiiiide !

— Détendez-vous, Marie, je vous en prie, murmura Dilleux. Vous risquez de vous faire mal.

— Allez vous faire foutre, sale ordure ! vociféra-t-elle en sanglotant.

Elle jeta un nouveau coup d'œil à son entrecuisse. Son sexe s'ouvrait dangereusement tandis que les pieds du bébé s'en approchaient à petits pas.

— Noooooon ! Noooooooooon ! Je ne veux pas ! Je ne veux paaaaaaaaaaaas !

Malheureusement, on ne tint pas compte de sa volonté et bébé Mandant commença bientôt à glisser, régulièrement, à l'intérieur de sa génitrice. Marie geignait. Son bas-ventre frémissait de travail. Elle poussait le plus fort possible pour empêcher l'ancien-né de regagner son sein. C'était peine perdue. Il pénétrait si vite qu'il avait déjà franchi la moitié du parcours. Épuisée et à bout de nerfs, Marie endura en silence la réintégration de cet être à qui elle avait donné la vie, sa vie.

Juste avant l'entrée du bassin, les bras du bébé se collèrent d'eux-mêmes le long de son corps, de façon à faciliter le passage du tronc sans être abîmés. La scène était d'une absurdité démentielle. On eût dit le film d'un accouchement défilant en marche arrière.

Pendant que s'opérait la dénatalité, Dilleux en profita pour se tourner vers un miroir et se refaire une beauté. Tout se déroulait dans l'ordre, alors pourquoi s'énerver ? Soglas, lui, ne pouvait quitter Marie des yeux. Il était estomaqué par cette vision surréaliste. Il lui semblait ressentir chaque déchirement, chaque crampe, chaque contraction... Le vieil enfant compatissait avec cette femme qui devait revivre, et de façon tout à fait ahurissante, ce qu'aucun homme ne vivrait jamais.

Marie remarqua que Soglas avait l'air troublé. Elle lui fit un maigre sourire, à la mesure de ce que lui permettaient ses forces. « Cette femme est attachée à un lit, pensa Soglas, elle vit les pires monstruosités et, malgré tout, elle trouve le moyen de sourire... » Il l'examina et la trouva grande. Plus grande que Dilleux lui-même. Il garda cependant cette réflexion pour lui.

Les souffrances s'achevaient. Ne restait plus que la tête.

Le crâne devint oblong et le menton s'enfonça facilement dans le sexe. La tête de bébé Mandant fuyait délicatement le monde terrestre pour regagner le monde de l'en-deçà. Son nez respirait maintenant la douce quiétude du sein maternel et ses petits yeux clos s'apprêtaient à pénétrer dans un monde où ils seraient bien inutiles.

Alors qu'on croyait le gros des souffrances terminé, Marie poussa un hurlement puissant et guttural qui tenait plus de l'animal que de l'humain. Elle soufflait comme si elle avait voulu gonfler un zodiac. Rien de plus normal. Ce petit bout de crâne qui mettait plus de temps à entrer avait mis tout autant de temps à sortir. Après tout, c'était ce premier bout de bébé qui faisait pousser, pousser, pousser et pousser la mère à lui en projeter les hémorroïdes jusqu'au bout des pieds.

Lorsque les cheveux du bébé ne furent plus qu'à peine visibles, le sexe de Marie se referma en pulsations régulières et la pauvre martyre put enfin retrouver son calme. Quelques minutes plus tard, elle eut un dernier soubresaut. Elle se demanda pourquoi mais eut vite la réponse quand elle vit le liquide amniotique retourner en elle.

— Bon ! lança Dilleux. C'est presque terminé et tout s'est bien passé !

Il jeta un coup d'œil coquin vers Soglas et ajouta :

— Heureusement pour nous, Mandant n'était pas né par césarienne. Ha ! Ha ! Ho ! Ha ! Ha !

Son rire de femmelette se répandit en blasphèmes dans la chambre. Marie ne tint pas compte de cette observation déplacée. Elle n'en avait que pour son ventre qui était maintenant tout rose, gonflé, tendu à se rompre. Il ne tarda toutefois pas à s'affaisser, signe irréfutable que le fœtus était en pleine résorption.

Dilleux riait, riait, riait, jouissait de son rire quand il se rendit compte soudain que Soglas le dévisageait avec mépris.

— Qu'y a-t-il, cher ami ? Ça ne vous amuse pas ?

Le jeune aîné n'avait pas envie de se lancer dans une longue plaidoirie. Aussi se contenta-t-il d'avouer :

— Si j'avais su quel genre de traitement vous réserviez à cette femme, jamais je ne vous aurais aidé.

— Eh bien, c'est trop tard maintenant, puisque vous l'avez fait et que...

— Que quoi ?

— Que je n'ai plus besoin de vous.

Dilleux leva le petit doigt et un foudroyant infarctus fit éclater le cœur de Soglas. Éclater si bien qu'il lui transperça la poitrine. Le vieil enfant tomba, face contre terre, ce qui fit encore plus se marrer son assassin.

— Sale bourreau ! cria Marie.

Dilleux n'entendit même pas cette insulte. Sa crise d'hilarité passée, il s'approcha de la belle et la détacha distraitement comme s'il s'était agi d'une vulgaire bête de cirque. Elle attendit d'être entièrement libérée, puis s'empara d'une lampe qui trônait sur la table de chevet. Elle la fracassa sur le crâne de Dilleux.

— Aïe ! Non, mais qu'est-ce que vous avez à la fin, Marie ? Vous voulez vraiment me faire du mal ou quoi ?

— Si je le peux, oui ! Mais ce que je veux surtout, c'est ne plus jamais vous revoir !

Dilleux prit une demi-seconde pour soigner sa blessure puis déclara :

— D'accord… Rhabillez-vous et allez-vous-en… Vous êtes libre…

— La belle affaire ! poussa Marie, incrédule.

Peu convaincue, elle enfila tout de même une mignonne petite robe fleurie et un pull quand une grande porte d'acier s'ouvrit devant elle. Elle donnait sur le jardin arrière. La nuit était d'une opacité à donner le goût d'apprendre le braille. On n'y voyait que dalle. Craintive, Marie fit quelques pas en regardant autour d'elle. Avant de franchir la porte, elle pointa l'index vers Dilleux.

— Vous ne me courrez pas après, au moins, hein ?

— Non, non… Allez-y… Vous êtes libre, je vous l'ai dit…

— D'accord, je me sauve ! lança-t-elle en s'éloignant. Mais je vous préviens ! Si vous me courez après, je crie au meurtre !

Elle s'éclipsa dans la nuit.

Le temps de cette petite discussion, sa grossesse avait totalement disparu. Le fœtus s'était résorbé et elle avait le ventre aussi plat qu'un lundi matin. Elle était folle de joie. Elle sautillait et gambadait en s'éloignant du bunker. Marie était à nouveau fille, pure.

Mais le plus important, à présent, c'est qu'elle était vierge, Marie.

TRENTE-DEUX

Rien n'était beau, personne n'était gentil, tout était de la merde. Le festival de la percussion cacophonique battait son plein dans la tête de l'inspecteur Specteur. Le Maiïssihkh avait eu son homme.

— *Abusus non tollit usum...*, gémit-il.

Malgré ce calvaire céphalique, ce bourdonnement cervical, cette migraine tonitruante, Spec s'était rendu chez Mandant avec dix de ses hommes. Sur place, aucune surprise. Le bunker avait bel et bien disparu. En inspectant les environs, il découvrit cependant que la forteresse avait laissé une trace circulaire autour de la maison. On avait essayé, tant bien que mal, de camoufler la chose, mais le nouveau gazon était quand même apparent.

Spec goba cinq aspirines, histoire de desserrer l'étau qui lui poussait les tempes l'une vers l'autre, et se dirigea vers la porte d'entrée. Mademoiselle Zelle et le curé Ré patientaient sur le perron. Ils tentaient désespérément d'apercevoir quelque chose à travers les carreaux. Adèle, planté sur le gazon, attendait les ordres.

— Qu'est-ce qu'on fout ici ? cria Zelle. Il n'y a rien à voir !

— Qu'est-ce qu'on fout ici ! répliqua Spec en sentant bourdonner ses tympans. On défonce !!!

Il se tourna vers ses hommes et les invita du regard.

— Les gars !!!

Deux ou trois coups d'épaule suffirent à briser le verrou. Toute la bande pénétra alors dans la jolie petite maison de l'ex-commandant Mandant. Une odeur de merde en décomposition mêlée d'émanations d'acide et de vinaigre caressa gentiment les narines des intrus. C'était le bordel. Spec évita, de justesse, une séance de dégueulis.

Un amoncellement de bran de scie, d'outils et de jouets divers jonchait le milieu de la pièce principale. Les murs étaient tapissés de dessins d'enfant. Probablement ceux de Mandant. Une balançoire avait été fixée au plafond et, à en juger par la grosseur de ses cordes, elle ne pouvait soutenir guère plus que le poids d'un enfant de sept ou huit ans.

Specteur remarqua un escalier au fond de la pièce.

— Fouillez la maison de fond en comble ! Je descends à la cave !

— Je vais avec toi, fit Zelle.

Spec dégaina son .666 et le couple descendit en douce, accompagné par un crissement de marches qui n'en finissait plus. L'humidité qui régnait dans ce bas-fond était telle qu'elle aurait fait pourrir une jambe de bois en moins de dix secondes. Non sans raison car tout le plancher était recouvert d'un jus brunâtre, parsemé ici et là de mottes de papier mouillé et d'immondices de toutes sortes. Les égouts avaient probablement débordé. Voilà ce qui expliquait l'odeur qui les avait accueillis à l'entrée.

Spec et Zelle barbotèrent pendant quelques secondes dans la sauce nauséabonde mais eurent vite fait le tour de la cave. Il n'y avait vraiment rien à y découvrir, à part la forme et l'odeur que pouvaient prendre les excréments après décomposition.

— Allez, on remonte, fit Spec.

— Avec joie ! lança Zelle.

Arrivés au pied de l'escalier, ils entendirent un bruit. Spec s'immobilisa.

— T'as entendu ? demanda-t-il.
— Oui et non…
— Psitt ! Psitt !
— Là ! Oui, j'ai entendu, là !
— Psitt ! Psitt !
— Là ! Ça l'a encore fait !
— Quelqu'un essaie d'attirer notre attention, chuchota Specteur.
Ils regardèrent un peu partout, à la recherche de celui qui les appelait, et ne virent que murs et merde.
— Psitt ! Psitt ! Ici, en bas ! Regardez en bas !
Un immense rat était assis à leurs pieds et balançait ses petites pattes de devant afin d'attirer leur attention.
— Oh, qu'il est mignon ! fit Zelle en le prenant dans ses bras. Et quel duvet ! Touche Spec ! Touche s'il est doux !
— Oui, bon, ça va, ça va ! lança le rat. Je ne suis pas là pour être mignon. C'est Satan qui m'envoie.
— Et pourquoi donc ? demanda Spec.
— Eh ben, il s'est rendu compte que cette enquête n'était pas de tout repos, que tout cela était trop louche. Il s'est dit qu'un coup de patte ne te ferait pas de tort. C'est pourquoi il m'a chargé d'aller inspecter les égouts pour toi.
— Alors ?
— Tu ne le croiras pas, mon p'tit vieux, mais le bunker est toujours là.
— Qu'est-ce que tu me racontes ? Nous sommes plus de dix à avoir constaté sa disparition pas plus tard que tout à l'heure !
— Oui, je sais. Il n'est plus en surface car… nous avons maintenant affaire à un bunker souterrain.
— Un bunker souterrain ? Comment tu sais ça ?
— Avec des potes, on a vu toute la structure s'enfoncer dans le sol, sous nos yeux !
Spec se frappa le crâne à trois mains.
— Merde ! Merde ! Merde ! Merde ! Merde ! Et comment on y entre, merde de merde !!?

— Je l'ignore encore. C'est ce que j'essaie de trouver. Dès que j'ai une idée, je t'en informe.

— D'accord.

Zelle déposa le rongeur qui se faufila rapidement dans une des fissures de la fondation. Spec le regarda disparaître en maudissant ce métier d'ivrogne professionnel qui l'empêchait de réfléchir comme il le fallait. Il fouilla les alentours du regard et l'arrêta sur Zelle.

— Non, mais regarde-toi un peu ! fit-il en désignant sa blouse.

Elle était toute souillée.

— Putain ! dit-elle en s'essuyant. Il m'en a mis partout !

Un nouveau haut-le-cœur assaillit l'inspecteur.

— Allons voir là-haut s'ils ont trouvé quelque chose, rota-t-il. Peut-être ont-ils mis...

Un cri l'interrompit.

— Aaahhhh ! Lâchez-moi ! Mais lâchez-moi, nom de Dieu !!!

— C'est Ré !

Ils grimpèrent l'escalier en vitesse et trouvèrent le prêtre menotté, face contre terre.

— Hé ! Ho ! Qu'est-ce que vous faites là ? s'écria Specteur.

— On l'a pris en flagrant délit de possession de cocaïne, inspecteur ! lança fièrement un jeune flic.

Spec étouffa un rire.

— T'es complètement taré ou quoi ? Libère-le sur-le-champ !

— Mais c'est contre la loi de posséder de la cocaïne ! protesta le jeune zélé.

— Douze balles dans ton petit crâne de collégien, c'est contre la loi aussi ? Allez, libère-le tout de suite !

On s'affaira sans tarder à remettre le prêtre en état de marche.

— Et ce n'est pas de la cocaïne, ajouta Specteur du ton d'un comédien amateur, mais plutôt un antidépresseur que je lui ai moi-même prescrit... *Ejusdem farinæ* ! Alors qu'on lui rende son sac !

Le jeune flic tendit la neige artificielle au prêtre et y perdit un peu de sa foi. Ré morvait gaiement en pensant à son prochain coup de nez. En se retournant pour remercier Spec, il se rendit compte que son odorat était toujours alerte et fit une vilaine grimace.

— Pouah ! geignit-il Qu'est-ce que c'est que cette odeur ?

Zelle se détourna.

— Ça va, ça va, j'ai compris ! grommela-t-elle en essuyant sa blouse. Je vais me chercher un chandail propre dans l'auto.

La maculée sortit en vitesse.

— Bon ! lança Specteur. Revenons aux choses sérieuses ! Qu'avez-vous trouvé ?

Les hommes de Specteur avaient fouillé partout et n'avaient réussi à mettre la main que sur une vieille photo. Il s'agissait d'une jeune femme aux cheveux noirs, d'une beauté déraisonnable.

— T'as une idée de qui c'est ? demanda le prêtre en se frictionnant les poignets.

— À coup sûr, la mère de Mandant !

Spec était déçu. Une simple photo. Le butin était bien maigre. Il estimait que son mal de tête méritait une découverte un peu plus considérable.

— Oooooooooooh ! s'écria soudain Zelle de l'extérieur. Venez voir ! Venez voir, vite !

On sortit en se bousculant comme si un incendie venait de se déclarer dans la baraque. Zelle avait les yeux levés au ciel. On l'imita pour apercevoir Fido qui décrivait un cercle au-dessus du troupeau de curieux. Le volatile plongea en douce et vint se poser sur l'épaule de l'inspecteur Specteur.

— Fido !

— Par la cheminée ! Bôôrk ! Dans l'bunker ! Bôôrk ! Par la cheminée.

On se regarda, ébahis. Fido venait de fournir la réponse à la question du jour.

— Fantastique ! s'exclama Specteur ! Cet oiseau est un génie !

Le perroquet eut droit à une ovation.

— Quand toute cette histoire sera terminée, déclara Specteur, je t'emmène au bordel à plumes, mon cher Fido !!!

— Par la cheminée ! Bôôrk ! Dans l'bunker ! Bôôrk ! Par la cheminée.

Il avait bien appris sa leçon.

TRENTE-TROIS

Marie errait dans les rues de Capit depuis près de deux heures. Ses yeux ne se lassaient pas d'embrasser les décors fantasmagoriques de la ville. Tout avait tellement changé depuis sa mort! En quarante ans, la capitale de la Friande avait doublé en grosseur et en hauteur. À l'époque de Marie, il n'y avait que le Grand Nain qui, planté au milieu de la ville, pouvait regarder grouiller la faune du haut des airs. Aujourd'hui, une vingtaine de gratte-ciel, aux formes douces et arrondies, encerclaient Capit. Il y avait d'autres immeubles mais, de dimensions plus modestes, dotés de courbes et de pointes psychédéliques telles qu'ils semblaient faire des pieds de nez aux principes mêmes de la physique. Le tableau relevait de l'impressionnisme. Les architectes avaient réussi à créer un véritable chef-d'œuvre d'harmonie visuelle et d'anarchie.

La montre du Grand Nain indiquait vingt-trois heures quinze. Marie était revenue à la vie, mais elle avait les jambes mortes. Et le froid commençait à lui mordre les extrémités. Sans le sou, elle se demandait bien où elle irait passer la nuit.

Une affiche lui sourit. En lettres blanches sur fond brun, on y lisait: *Couvent des Etapertaquas*. Il s'agissait d'une congrégation d'adoratrices du Christ qui avaient la particularité de prier à quatre pattes. Cette drôle de position avait été adoptée pour sa grandissime preuve d'humilité et de soumission par sœur Hela Etapertaquas, la fondatrice de l'institution, deux cents ans plus tôt.

« Voilà la place idéale pour passer la nuit en toute sécurité et se mettre quelque chose sous la dent », pensa Marie. Sans hésiter, elle appuya sur la sonnette d'entrée et patienta en sautillant sur place pour se réchauffer les pieds. Une vieille religieuse, tout de brun vêtue, l'accueillit avec un sourire à demi édenté.

— Que puis-je faire pour vous, mon enfant ?

— Je cherche un endroit où passer la nuit, répondit Marie en tâchant de faire pitié le plus possible.

La religieuse l'examina à peine et l'invita à venir jouir de la chaleur du couvent. Un silence de sourd régnait dans cette grande demeure où flottaient les prières. Seuls les pas faisaient écho au mutisme ambiant et trahissaient la présence humaine.

Marie suivait la sœur sans trop savoir où elle allait. Elles arrivèrent bientôt dans une grande salle à manger où elle fut priée de s'asseoir et d'attendre. La religieuse s'absenta quelques minutes pour revenir avec un bol de soupe fumante et du pain. Avant de déposer cet alléchant goûter sur la table, elle murmura :

— Nous acceptons de vous héberger à une condition : vous vous joindrez à nous pour la prière de minuit et celle de six heures, demain matin.

— Entendu, fit aussitôt Marie, anxieuse de voir cette bouffe se retrouver au fond de son estomac.

Elle dévora le tout avec appétit et fut conduite à sa chambre. La sœur ouvrit un placard et en tira une vilaine robe brune à capuchon.

— Enfilez ceci. Je viendrai vous chercher juste avant la prière, qui aura lieu dans dix minutes.

— Bien…, dit-elle, dégoûtée mais docile.

Marie se retrouva seule, cette horreur brune à la main. Elle l'enfila avec dédain et se sentit à des milliers de kilomètres de la coquetterie. Tant pis ! Elle n'avait pas le choix. Le sacrifice en valait la peine, puisqu'en retour elle aurait droit à une bonne nuit de sommeil et à un petit-déjeuner solide. Ce qui l'aiderait grandement à attaquer sa nouvelle vie.

Elle faillit s'endormir en attendant la religieuse mais lutta du mieux qu'elle put en faisant les quatre-vingt-dix-sept[1] pas. On toqua à la porte. Marie sortit et accompagna la sœur jusqu'à la chapelle.

Une centaine de dévotes se tenaient debout, face à un crucifix de trois mètres de haut. Marie fut guidée jusqu'au centre du groupe et invitée à joindre les mains. Aucune religieuse ne sembla se formaliser de la présence de l'étrangère.

Une cloche sonna les douze coups de minuit et tout le monde se mit à quatre pattes. Marie fit de même et attendit la suite. Une vague de chuchotements chuintants brisa peu à peu le silence de la chapelle. L'oreille tendue, Marie essaya de saisir l'essentiel de la prière. Impossible de piger une seule syllabe de ce que les sœurs marmonnaient. La recrue d'un soir dut donc se résigner à garder son élégante position jusqu'à ce que toutes ces singeries soient terminées.

Les murmures qui bourdonnaient autour d'elle l'assommaient mieux que ne l'aurait fait un somnifère pour chevaux. Elle sentait le sommeil lui tirer les cils vers le sol.

Un léger coup de vent la réveilla un peu. Elle jeta un coup d'œil autour d'elle. Rien ni personne n'avait bougé. Ce devait être le début d'un rêve. La tête lourde, elle essaya de murmurer n'importe quoi afin de se tenir éveillée. Un autre coup de vent lui donna un frisson. Marie sentit soudain sa robe se relever et se rabattre sur son dos. Surprise, elle regarda vite derrière elle. Rien. Rien qu'un troupeau de nonnes brunes, à quatre pattes, broutant des litanies sur le plancher des vaches du Christ. Marie ramena une main derrière son dos afin de

1. La religieuse ne lui a pas laissé le temps de se rendre à cent.

rabattre sa robe et sentit des doigts se refermer sur son poignet. Elle tenta aussitôt de se défaire de cette étreinte mais une forte pression contre sa nuque lui fit baiser le sol. Elle cria :

— Aaaaaaaaah !

Aucune réaction de la part des nonnes. Elles étaient là pour prier. Elles priaient.

Le dos arqué, la croupe pointant vers le ciel, Marie essayait de se débarrasser de cet agresseur qu'elle n'arrivait pas à voir en lui donnant des coups de talon. Deux genoux lui écrasèrent les mollets et elle fut clouée au sol. Aïe ! Cette pression sauvage lui broyait les rotules. Qu'est-ce qui se passait ? Mais qu'est-ce qui se passait ! ! ? Au creux de son oreille, une voix suave murmura :

— C'est toi que le Ceint-Tespri a choisie. Le Tespri Ceint t'a choisie.

Sa petite culotte fut déchirée en un tournemain et Marie se sentit envahie contre son gré. Elle hurla à s'en rompre l'âme.

— AAAAAAHHHHH ! AU VIOL ! À L'AIDE ! ! ! AU VIOL ! LAISSE-MOI, SALAUD ! LAISSE-MOOOOIIIII ! ! !

La joue écrasée contre le plancher froid et rugueux de la chapelle, elle percevait du coin de l'œil son fessier dénudé qui subissait les secousses du violeur invisible. Qu'est-ce que c'était que ce cauchemar ? Pourquoi elle ? Après ce qu'elle venait de vivre avec Dilleux, elle ne pouvait croire que le sort s'acharnât encore sur sa personne. Et toutes ces religieuses qui ne levaient pas le petit doigt pour la secourir ! C'était d'un absurde cru.

Ses genoux la faisaient atrocement souffrir. Le poids de ce salaud lui coupait le sang dans les jambes et elle ne sentait plus ses pieds. Elle vit rouge et noir. Avec l'énergie d'une condamnée à vivre, elle donna un solide coup de reins et réussit à se libérer. Mais ce n'était que temporaire... Étendue sur le dos, Marie essayait de retrouver la mobilité de ses muscles endoloris quand sa robe fut à nouveau soulevée et repoussée par-dessus son visage. Elle eut beau se débattre comme un lépreux dans le vinaigre, le Ceint-Tespri la prit à nouveau de force tout en la strangulant.

La pauvre victime commença à chercher sérieusement de l'air. Ce n'était plus qu'une question de secondes avant qu'elle ne tombe inconsciente. Elle devait absolument trouver un moyen de se sortir de là. Soudain, elle sentit les mains se desserrer autour de son cou et put enfin respirer. Ce relâchement était facilement explicable : le Ceint-Tespri était en train de se soulager. Marie l'entendit pousser des petits cris sourds. Elle sentit alors son cœur se gonfler d'une haine noire et sauvage.

Pendant que son agresseur se concentrait sur les dix centimètres les plus importants de son entité, Marie réussit à libérer une de ses mains. Elle souleva une fesse, passa la main dessous et agrippa fermement le scrotum invisible du Malsain Tespri. Il se mit à gueuler et à se démener, non sans une certaine prudence, vu les circonstances. Plus il gigotait, plus Marie enfonçait ses ongles dans la chair invisible. Il comprit vite qu'il lui fallait rester immobile.

— C'est terminé maintenant, dit-il, paniqué. Laisse-moi partir. Je ne te ferai plus de mal.

— D'accord, siffla-t-elle, mais laisse-moi d'abord te remercier.

Elle enfonça ses ongles à fond et, d'un coup sec et violent, arracha les deux petites pendules spirituelles. Un jet de sang, sorti de nulle part, coula entre ses cuisses. Le Ceint-Tespri vociféra comme un damné et frappa la vengeresse à coups de poings. Marie ramena ses deux pieds vers elle et poussa de toutes ses forces. L'émasculé se détacha d'elle et se mit à flotter dans les airs. Du sang pissait du ciel, comme si on avait scié le temps.

— Salope ! geignit-il d'une petite voix. Tu le regretteras !

— Va te faire recoudre, sale trouduc !

Le filet de sang s'éloigna et laissa une grande ligne rouge sur le mur que le Ceint-Tespri traversa. Marie reprit alors conscience du chuchotement maladif des religieuses. C'était comme si elles s'étaient tues, le temps de l'agression, histoire de mieux laisser le violeur accomplir sa sale besogne. Elle se releva en furie et dévisagea ce ramassis d'accroupies. Au creux de sa main, les couilles étaient devenues visibles. Marie les balança au visage du Christ crucifié en poussant un cri d'enfer. Les murmures s'assombrirent.

— Je vous souhaite de vous faire défoncer par Satan, putain de bande de chiennes aveugles !

Les nonnes tremblaient de terreur. Marie les menaçait du regard en espérant qu'au moins l'une d'entre elles oserait rétorquer afin qu'elle puisse lui enfoncer son chapelet dans le cul. Il n'en fut rien. Fidèles à elles-mêmes, les sœurs demeurèrent à quatre pattes.

Marie s'en voulait d'avoir demandé asile à ces folles et se promettait de maudire la religion pour l'éternité. De toute façon, elle qui revenait du monde des morts savait très bien que rien de ce qui était raconté par l'Église sur cette putain de terre ne correspondait à la réalité de l'au-delà.

Avant de quitter la chapelle, elle leur lança un avertissement sévère :

— Écoutez-moi toutes, sales putes ! Je vais maintenant aller me coucher ! Si l'une d'entre vous se pointe dans ma chambre, je la tue !!! Et si elle appelle les flics, je la tue une deuxième fois !!!

Les yeux plein d'eau, elle quitta les nonnes en crachant tous les jurons qui lui traversaient l'esprit. Elle passa par la cuisine, s'empara d'un long couteau et prit quelques trucs à grignoter. Ensuite, elle gagna sa chambre. Elle bloqua la porte, se doucha et disparut sous les couvertures. Le sommeil la kidnappa presque aussitôt.

Au petit matin, elle examina la chambre. Aucune infraction ne semblait avoir été commise. Elle fonça vers la cuisine. Une faim d'ogre faisait crier ses viscères. Personne en vue. Les folles étaient probablement encore dans cette chapelle merdique. Elle se fourra plein de bonnes choses dans la gueule et se prépara un gros balluchon à même le drap de son lit. Avant de partir, elle jeta un coup d'œil furtif aux alentours. Toujours personne. Rassurée, elle mit le feu aux rideaux de la salle à manger et déguerpit.

Dehors, elle gambada gaiement, les poings serrés, bien décidée à ne plus jamais se laisser marcher sur les pieds. Au bout d'un moment, elle s'arrêta, étourdie, et dégueula tout ce qu'elle venait d'ingurgiter.

La pauvre Marie l'ignorait, mais elle était enceinte d'un mois déjà. Enceinte d'un tout nouveau Mandant et d'une petite fille.

TRENTE-QUATRE

En l'an 1 avant Jésus-Christ

Dilleux, vêtu de haillons, avait marché jusqu'à cette petite maison très modeste, pour ne pas dire en complète décrépitude, située à deux kilomètres de Nazareth. C'est là qu'habitait Marie, la Vierge Marie, ancêtre de la mère de Mandant.

De prime abord, la demeure semblait abandonnée.

— Ohé ! Il y a quelqu'un ?

Aucune réponse. Dilleux s'approcha un peu.

— Ohé ! Il y a quelqu'un ?

Une jeune femme avança timidement dans l'encadrement de la porte. Un bracelet d'argent scintillait à son poignet. Dilleux la reconnut tout de suite.

— Bonjour, mon enfant ! Excuse-moi de te déranger mais, on m'a dit, à Nazareth, que tu connaissais bien les plantes. C'est vrai ?

La jeune fille sortit et la lumière du soleil illumina ses charmes. Elle avait seize ans, tout au plus. La pureté se lisait sur sa peau blanche et lisse. Ses cheveux et ses yeux, bleu noir comme le corbeau, inspiraient le respect.

— Ce n'est pas moi qui suis la spécialiste des plantes.

Dilleux ne la crut pas une seconde.

— Tu es bien Marie, femme de Joseph ?

Elle hésita un peu, puis fit signe que oui.

— Si ce n'est toi qui connais les plantes comme si tu les avais créées, fit Dilleux, qui est-ce, ô jeune prodige ?

— Père, répondit-elle. Je connais aussi très bien les plantes, mais Père en est le véritable expert.

Voilà qui bousculait un peu les plans de Dilleux. Il lui fallait réfléchir en vitesse.

— Je suis donc au bon endroit ! Pouvez-vous m'accompagner, ton père et toi ? J'aimerais vous montrer un arbre dont les propriétés semblent magiques.

Marie considéra l'étranger avec méfiance.

— Joseph est au marché et Père est mourant. Je ne peux pas le laisser seul. Maintenant, pardonnez-moi, brave voyageur, mais je dois retourner à son chevet.

— Attends !

La jeune fille ne se retourna pas et rentra dans la maison. Dilleux joua le tout pour le tout.

— Attends ! Marie ! Si je parviens à guérir ton père, accepteras-tu de m'accompagner jusqu'à l'arbre magique ?

Appâtée par ces propos inusités, Marie réapparut devant le curieux personnage. Elle avait le défi sculpté dans les yeux.

— Comment prétendez-vous, nargua-t-elle, pouvoir guérir celui qui connaît tous les remèdes végétaux et qui n'a pas su, malgré son génie, trouver la plante qui serait parvenue à éliminer ses souffrances ?

— Je ne peux vous révéler mon secret. En revanche, si vous me laissez approcher votre père, je vous promets qu'il sera guéri en un clin d'œil. Sinon, je me fais votre esclave pour le reste de mes jours.

L'offre était considérable et Marie n'avait rien à perdre.

— D'accord, dit-elle. Suivez-moi.

Dilleux obéit. L'intérieur de la maison n'était pas aussi fidèle que ce qu'elle laissait supposer de l'extérieur. Tout était aussi gris et terne, bien sûr, mais propre et ordonné. Près de l'entrée, à gauche, trois chaises entouraient une petite table vide. À droite, un buffet abritait quelques couverts. Au fond, un rideau gris en demi-cercle cachait le lit du malade. On entendit tousser.

— Père est là, derrière ce rideau.

— J'avais deviné, lança Dilleux sur un ton qui ne sembla pas plaire à Marie.

Elle réfléchit un instant, ce qui inquiéta un peu le chiant personnage, puis tira finalement le rideau. Le vieil homme était là, sur le dos, les joues creuses, la bouche béante, la respiration sifflante. Un lit de paille, entouré de plantes de toutes sortes, soutenait sa lente agonie. D'un geste doux mais dédaigneux, Dilleux tira la couverture. Le spectacle n'était pas des plus appétissants. Le corps du malade était garni de petites bosses et de pustules. Marie tourna la tête, incapable de voir son père dans cet état lamentable.

« Je suis arrivé juste à temps, pensa Dilleux. C'est la tuberculose. Il a peut-être déjà contaminé sa fille. »

— Ce n'est rien, Marie, tu verras, il sera vite sur pied.

Au son de cette voix inhabituelle, le vieux râla un peu. Marie le réconforta :

— Restez tranquille, Père. Cet homme est venu tenter de vous guérir.

— Je ne suis pas venu tenter, chère enfant. Je suis venu le guérir. Maintenant, je vous prierais de me laisser seul une minute avec votre père.

— Mais...

— Pas de discussion, sinon je m'en vais.

Dilleux jouait les indifférents alors qu'en réalité il avait autant besoin de cette jeune fille que de son propre cœur. Impuissante, Marie se plia donc aux ordres et s'éloigna en silence.

Une fois seul, Dilleux posa une main sur le cœur du malade et une autre sur son front. Le vieux se mit aussitôt à respirer normalement et ses bosses disparurent petit à petit.

— Ça va ! lança Dilleux, désinvolte. Vous pouvez revenir !

« Déjà ! » pensa Marie. Elle entra et s'approcha très lentement, de peur d'être déçue. En apercevant son père, elle fut renversée. Littéralement, puisqu'elle se jeta par terre et baisa les pieds de Dilleux, lequel n'apprécia pas outre mesure cette petite séance de chatouillement improvisée. Une dizaine de bécots plus tard, Marie se releva pour admirer le nouveau visage de son père. Les yeux pétant de santé, il souriait comme un écolier en vacances.

— Bonjour Marie…, murmura-t-il.

— Oh Père ! Père, vous êtes guéri ! Vous êtes sauvé !

Elle l'embrassa et pleura de joie.

— Je ne sais pas si je suis guéri, ma fille, mais en tout cas, je me sens en pleine forme.

Impatient qu'il était de terminer sa mission, Dilleux les décolla aussitôt :

— Bon, alors ? On y va ?

Le miraculé tourna la tête vers l'étranger et plissa les yeux. Il était contrarié. Dilleux s'excusa :

— Je vais attendre dehors, dit-il.

Feignant l'impatience, il sortit d'un pas rapide.

— Est-ce là un de tes amis ? demanda le vieil homme.

— C'est lui qui t'a guéri, Père. C'est un mage, un druide !

— Comment l'as-tu rencontré ?

— C'est le ciel qui nous l'a envoyé !

Marie lui relata leur rencontre et la discussion au sujet de l'arbre dit magique.

— J'ai promis de l'accompagner jusqu'à cet arbre s'il arrivait à te guérir.

Le vieux avança une main et serra chaleureusement celle de Marie. La sagesse et la loyauté parlèrent pour lui.

— Ma fille, dit-il, cet étranger a tenu sa promesse. Il m'a libéré du mal. Alors, à toi de tenir la tienne.

Il sourit doucement et ajouta :

— Et puis, il ne faut jamais perdre une occasion de découvrir une nouvelle plante...

Marie sourit à son tour.

— Va, et reviens vite.

— Mais Père, vous êtes sûr que je peux vous laisser seul ?

— Si, si ! Vas-y, file ! Je me sens très bien. Je suis encore un peu faible et j'ai sommeil... C'est tout...

— Dans ce cas, je vous laisse dormir, Père. Ce soir, je vous raconterai ce que j'ai appris.

Elle tira le rideau et s'en fut rejoindre Dilleux.

Le couple marcha pendant près d'un kilomètre. Tout le temps que dura la mini-expédition, Marie ne cessa de dire combien elle était reconnaissante, que ça tenait du miracle, qu'elle était prête à tout pour le remercier, vraiment tout, qu'aucune faveur ne lui serait refusée, etc. Dilleux commençait sérieusement à se demander si la jeune fille était aussi pure qu'elle en avait l'air. Arrivée à un petit buisson planté au beau milieu d'une plaine aride, elle changea de ton :

— C'est l'arbre magique dont vous parliez ? demanda-t-elle, aussi peu surprise que si elle venait de se rendre compte qu'elle avait dix doigts.

— Non, n... nnn... non, pas du tout..., bégaya Dilleux. La plante en question vit à l'ombre de ce buisson, juste derrière.

Curieuse de voir à quoi pouvait ressembler une plante magique, Marie se précipita derrière le buisson. Dilleux la rattrapa en vitesse. Il savait bien qu'elle serait loin d'être émerveillée. En effet, la jeune fille eut un brusque mouvement de recul lorsqu'elle aperçut une fosse rectangulaire d'un mètre de profondeur.

— Qu'est-ce que c'est que ce trou ? demanda-t-elle, soudainement affolée. On dirait qu'on s'apprête à enterrer quelqu'un !

— Calme-toi, voyons..., chantonna Dilleux sur un ton posé et rassurant. Regarde, la plante est là, au fond.

Un jeune pommier gisait au fond du trou. Ses racines étaient enveloppées dans une toile de jute humide. Marie se sentit insultée.

— Mais... c'est un pommier! Un simple pommier! Voilà ce que vous appelez un arbre magique?

— Marie, calme-toi..., murmura Dilleux en avançant lentement vers elle. Je veux seulement que tu examines cet arbre, c'est tout.

Tout cela n'était pas très net et Marie ne savait trop que faire.

— Inutile d'examiner cet arbre! fit-elle sèchement. Je sais que c'est un pommier.

Dilleux joua les désemparés.

— Marie, pleurnicha-t-il en avançant vers elle, je vous en prie...

La jeune fille ne comprenait rien à cette insistance et tout cela lui foutait la trouille.

— Qu'est-ce que vous attendez de moi précisément? cria-t-elle. Je vous ai dit que j'étais prête à tout faire pour vous remercier! Alors mettez fin à ces mystères et à ces histoires d'arbres magiques immédiatement, sinon je... je...

Une pelle était plantée au bout de la fosse. Marie s'en empara et menaça le bienfaiteur suspect.

— ... je vous fracasse le crâne!

C'est alors que Dilleux se transforma en comédien de premier ordre. Il se laissa tomber à genoux et éclata en sanglots.

— Marie..., pleurait-il. Marie... pourquoi me fais-tu cela, Marie...? Pourquoi doutes-tu de ma personne...? N'ai-je pas sauvé ton père d'une mort certaine...? Ne t'ai-je pas fait du bien...? Pourquoi donc veux-tu me faire du mal...?

Un sentiment de culpabilité traversa le cœur de la

pauvre fille. Elle eut honte de son comportement et songea à son père que cet homme venait de guérir en un rien de temps. Était-ce ce pouvoir qui la rendait si craintive ? Sinon, pourquoi cet homme lui semblait-il si louche ? Qu'est-ce qu'elle risquait, en réalité ? Après tout, elle n'avait qu'à examiner l'arbre, formuler quelques commentaires et rentrer chez elle.

Étendu à ses pieds, Dilleux était plié en deux et pleurait comme un gros nuage noir. Émue et repentante, Marie s'accroupit et lui mit la main sur l'épaule. Sans perdre une seconde, Dilleux l'agrippa vivement par le cou et lui plaqua un pouce sur l'os frontal. Marie n'eut même pas le temps de se débattre. Elle sombra immédiatement dans un état s'apparentant à la mort. Elle n'avait plus de pouls, plus de respiration. Dilleux la balança alors au fond du trou et s'empressa de dénuder la base du pommier. Il tira un petit sac d'engrais de sa poche et en versa le contenu dans la bouche de Marie. Il la tint ouverte le plus grand possible et tenta d'y enfoncer le pied du pommier. Après quelques minutes d'acharnement, il dut se rendre à l'évidence : la bouche n'était pas tout à fait assez grande. Il mit un pied sur la mâchoire inférieure et, d'un coup sec, la décrocha d'un côté. Il avait gagné à peine un centimètre. À l'aide d'une pierre, il lui fracassa la moitié des dents et put enfin insérer la base du pommier entre les mâchoires de la victime. Ne restait plus qu'à coudre les commissures déchirées, ce qui fut un jeu d'enfant.

Le gros de la besogne étant accompli, Dilleux se calma et prit le temps d'enterrer Marie comme il le fallait. De pelletée en pelletée, il fit disparaître le corps. Il garda cependant l'une des mains dégagée jusqu'à la dernière minute. Juste avant de l'ensevelir, il en replia tous les doigts, sauf le majeur.

— Tiens ! Ça c'est pour toi, mon bon ami Specteur... C'est ma façon à moi de te saluer...

Dilleux finit d'emplir le trou et se recueillit. Les mains jointes, agenouillé sur la terre fraîche, il marmonna une prière qui dura au moins trois quarts d'heure.

Au terme de cette oraison, il versa trois larmes au pied du pommier. Marie revint alors à la vie, souffrit beaucoup, paniqua énormément, se crispa de toutes ses forces et traversa deux millénaires sous terre.

TRENTE-CINQ

Marie s'essuya la bouche avec un des coins de son balluchon. Elle se redressa et se sentit vaciller. Putain ce qu'elle était étourdie ! Elle essaya de marcher un peu mais tomba aussitôt à la renverse. « Merde…, pensa-t-elle. Il faut que je me pousse d'ici au plus vite. » Trop tard. Les portes du couvent s'ouvrirent, laissant s'échapper une fumée noire et dense. Un paquet de nonnes furieuses en sortirent, toussant, crachant, suffocant, pleurant. Malgré leurs yeux rougis qui coulaient et qui piquaient, elles eurent tôt fait d'apercevoir Marie, la petite incendiaire ! Brandissant leurs crucifix comme des poignards, les sœurs foncèrent sur la pyromane d'occasion avec la ferme intention de la bousiller beaucoup.

En faisant un effort pour se relever, Marie dégobilla à nouveau. À genoux sur le bitume, elle voyait les taches brunes se ruer vers elle. Une violente leçon de catéchisme l'attendait. Aucune chance de s'en sortir. D'autant plus qu'une des nonnes était à moins de dix mètres de sa fragile personne.

Une limousine se pointa in extremis. La portière s'ouvrit et Marie entendit une voix :

— Montez, vite !

Elle grimpa sans qu'on eût besoin de la supplier davantage et la limo décolla avec un crissement de pneus plus doux à l'oreille qu'une symphonie de Mozart.

Marie observa les nonnes qui couraient derrière la limo jusqu'à ce que l'une d'elles se fasse happer par un autobus, forçant les autres à lui prêter secours. Rassurée, elle poussa un soupir de soulagement et tourna la tête afin de voir celle de son sauveteur.

— Marie ! s'exclama Dilleux. Quelle belle surprise !

TRENTE-SIX

La maison de Mandant avait perdu sa queue. L'inspecteur Specteur avait fait raser les trois mètres de cheminée qui en dépassaient. C'était toujours ça de gagné. Mais il n'allait tout de même pas se jeter lui-même dans la gueule du loup. Car il fallait l'avouer : ça sentait le piège à plein nez. Aussi fit-il descendre, à sa place, un long tube, gros comme un boyau d'arrosage, terminé par un minispot et une caméra. Cet œil magique allait lui permettre de voir ce qui pourrait lui arriver.

Debout sur la couverture, un flic descendait le tube dans ce qui restait de la cheminée tandis que Specteur, Zelle et Ré suivaient le film des événements sur un écran témoin, bien au chaud dans la Renault.

Durant la première minute, la caméra ne montra que des parois lisses et noires. Specteur regardait partout sauf sur l'écran témoin.

— J'sais pas ce qui m'arrive aujourd'hui, confia Specteur, mais je me sens dans une forme dangereuse...

Zelle le regarda, étonnée.

— Moi aussi, dit-elle.

C'est curieux, fit Ré, mais moi-même, je me sens mieux que jamais.

— T'as arrêté la poudre ?

On rigola un bon coup et on retourna à l'écran témoin. La caméra venait d'atteindre un corridor plus large, comme si elle avait enfin quitté la cheminée pour pénétrer dans le bunker. Puis, tout à coup, le noir total.

— Merde! Ça ne marche plus!

— C'est peut-être dû à un problème technique, dit Zelle.

Specteur sortit de sa bagnole et grimpa sur la couverture. Le flic remontait le tube. Arrivé au bout, on constata qu'il avait été sectionné.

— Putain de merde! Cet enfant de salaud veut à tout prix que je descende!

Il fit signe à Zelle de venir le rejoindre. Quand elle arriva sur le toit, Spec se faisait installer un micro sans fil sur le revers de son trench.

— Qu'est-ce que tu fabriques? demanda-t-elle.

— Il faut que je descende, je n'ai pas le choix.

— Mais tu es fou! C'est certainement un piège! Tu l'as dit toi-même!

— Ça ne fait rien. Tu oublies que Dilleux ne peut rien contre moi. Alors aussi bien aller voir ce que je peux manigancer afin de lui faire bouffer ses hémorroïdes.

Zelle eut un faible sourire.

— Qu'est-ce qu'on fait, pendant ce temps?

— Tout ce que je dirai sera retransmis et enregistré grâce à ce micro. Vous pourrez donc m'entendre vous donner des ordres à distance.

— D'accord.

Spec retira sa bague et la tendit à mademoiselle Zelle.

— Tiens. Enfile ma bague. Je n'aurai qu'à y penser pour savoir où tu te trouves. Si quelque chose devait t'arriver, retire-la. Je recevrai alors un signal télépathique et j'irai te rejoindre le plus rapidement possible.

Elle se plia à la volonté de son homme, mais ne put retenir un élan de rage.

— J'aimerais être avec toi pour donner une raclée à ce salaud.

— Je t'en garderai un morceau.

On installa une lampe de mineur sur la tête de l'inspecteur et on fixa un harnais autour de sa taille. Une fois bien attaché, il s'assit sur le rebord de la cheminée. Avant de disparaître complètement, il voulut faire une confidence à Zelle.

— Jamais, dans ma carrière d'inspecteur, je n'ai fait face à une enquête aussi ténébreuse et qui semble ne mener nulle part. J'ai même, pendant un temps, douté de mes compétences. Je sens maintenant, au moment même où je te parle, que j'apprendrai très bientôt ce que ce Dilleux de merde trame depuis le début. Mais j'ai le pressentiment que le pire est encore à craindre.

Zelle appliqua un vigoureux baiser sur sa belle gueule. Spec s'en étouffa de bonheur. Les échanges salivaires terminés, il s'apprêtait à donner l'ordre de le faire descendre, mais il se ravisa. Il avait encore quelque chose à ajouter.

— Je voulais aussi te dire, Zelle, que tu es, et de loin, la femme que je préfère.

Pour un type comme Specteur, il s'agissait là d'une grande déclaration d'amour.

Incapable de regarder Zelle plus longtemps, il fit un signe au flic et, tel un père Noël masochiste, s'enfonça dans la cheminée maudite. À l'instar de la caméra, tout ce que Spec voyait, c'étaient des murs noirs. Quelle connerie ! Et surtout, quelle absurdité ! Descendre si profond pour rencontrer quelqu'un prétendant avoir son royaume au ciel. Enfin, mieux valait penser à autre chose. Au baiser de Zelle, par exemple. Ou aux seins de Madeleine… Ou aux mains de Crétaire…

De fantasmes en cochoncetés, il finit par sortir du colon obscur pour se retrouver dans une section plus large. Les parois métalliques qui l'entouraient étaient maintenant lisses et claires. Il lui semblait déjà voir un plancher métallique quelques mètres plus bas. Il avait raison. Specteur dégaina son .666. Quelques secondes plus tard, ses pieds furent accueillis par le bruit sec d'une surface d'acier. Presque aussitôt, deux grandes lames se rejoignirent au-dessus de sa tête et tranchèrent la corde qui le retenait là-haut. À ce moment, et seulement à ce moment, la porte du bunker s'ouvrit et Specteur se retrouva face à face avec un Dilleux tout sourire.

Sans salutation aucune, Spec expédia dans le visage de Dilleux quarante balles de ce merveilleux .666 qui ne se déchargeait jamais. Les bras croisés, le divin saligaud attendit patiemment le retour au calme.

— Bon ! s'écria Specteur en rangeant enfin son revolver. Je sais que ça ne t'a pas fait mal, sale charognard, mais moi, ça m'a fait du bien !

— Toujours cette attitude mordante et ce ton hargneux, cher inspecteur... Enfin, si ça vous fait plaisir de gaspiller des balles.

— Je n'ai rien gaspillé puisque je les imagine toutes logées dans ta tête fromagée de merde.

Dilleux leva la tête au ciel et soupira.

— Trêve de gros mots, inspecteur Specteur, j'ai une nouvelle très importante à vous apprendre.

— Cause toujours, crapaud...

— Il vous reste un peu plus de vingt-quatre heures pour vous ranger de mon côté, sinon vous disparaîtrez à jamais. Est-ce assez clair ?

En guise de réponse, Specteur retourna son arme contre lui, se tira une balle en plein cœur et tapa du pied une dizaine de secondes, le temps que la plaie se referme.

— Voilà ce que j'en fais de votre principe de disparition à la con ! lança-t-il. Je suis condamné à vivre !

Loin d'être décontenancé, Dilleux applaudit chaleureusement la charmante petite prestation de Specteur.

— Bravo !

— Va chier !

— Tut ! Tut ! Tut ! Quel langage...

Dilleux fit un signe de croix afin de conjurer les gros mots. Puis il retrouva son sourire pédant et continua :

— Dites-moi, inspecteur, comment vous sentez-vous aujourd'hui ?

— Plus en forme que jamais, sac de pus ! Je pourrais te broyer le cou d'une seule main !

— Diriez-vous que vous êtes tellement bien que vous avez l'impression d'avoir une dizaine d'années en moins ?

— Exactement ! Je me sens co...

Spec s'interrompit brusquement et fixa Dilleux avec des yeux ronds comme la pleine lune. « Non, se dit-il, ce ne peut pas être ça ! Ce n'est pas possible ! »

— Diriez-vous que vous vous sentez rajeunir ? ajouta Dilleux.

Un élan de violence traversa l'inspecteur.

— Espèce d'enculé ! !

Tel un taureau qui se serait fait enfiler un suppositoire au Tabasco, il baissa la tête et fonça sur son ennemi. Au lieu de percuter le corps de cette ordure, Spec heurta de plein fouet une solide barrière invisible.

— Ha ! Ha ! Ha ! rigola Dilleux. Comme vous voyez, j'ai pris mes précautions. Connaissant la chaleur que pouvait générer le contact de nos deux corps, je n'ai voulu courir aucun risque. C'est pourquoi je me suis muni de ce champ magnétique qui, ma foi, est plus dur que du béton.

Légèrement étourdi, Spec se releva en chancelant.

— Qu'est-ce que tu veux, au juste ?

— Tout ce que je veux, c'est que vous vous joigniez à moi, inspecteur Specteur. Ensemble, nous pourrions faire régner le bien dans un monde qui serait nôtre.

— Jamais ! cracha Specteur. Plutôt le mal au grand jour que le bien hypocrite !

— Dans ce cas, désolé de vous annoncer que vous allez y passer ! Vous allez rajeunir jusqu'à disparition complète !

— M'en fous ! Quelqu'un d'autre me vengera !

Dilleux explosa d'un rire méphistophélique.

— Quelqu'un d'autre ! Ha ! Ha ! Ha ! Elle est trop bonne !

Spec ne pigeait pas.

— Qu'est-ce qui te fait rire, stupide tubercule ? Tu crois qu'une fois que je serai exterminé, tu n'auras plus de vers dans le cul ? *Non omnis moriar* ! ! !

— Ah là là ! Vous êtes bien prétentieux pour croire que vous êtes le seul à rajeunir...

— Vous voulez dire que...

— Je veux dire que la planète Nète au complet est en train de retomber en enfance.

Specteur faillit disjoncter. Non ! Ça n'avait aucun sens ! Ce truand serait le seul à survivre à cette cure de jouvence forcée ? C'était nul... Nul à chier sa vie par tous les orifices.

Comme si ce n'était pas assez, Dilleux en rajouta :

— Il n'y a pas que les vivants qui vont rajeunir, vous savez. Tous ceux et celles qui reposent tranquillement dans leur cercueil vont, eux aussi, revenir à la vie pour inévitablement manquer d'air et mourir à nouveau...

C'était le comble ! Spec frissonnait de dégoût et de haine.

— Mais... mais... t'es encore plus sadique que Satan lui-même ! Plus sadique que Satan exposant dix !

— Allons, allons, je ne fais pas cela par sadisme, voyons. Je fais cela dans le seul but d'accélérer les choses.

— Accélérer les choses ! Mais quelles choses, illustrissime fils de pute ! ! ? ?

— C'est pourtant simple. Si une personne revient à la vie dans son cercueil, qu'elle ne peut en sortir et qu'elle y meurt, du coup elle vient de briser son arbre généalogique. Car si un cadavre reprend vie et qu'il ne poursuit pas son rajeunissement jusqu'à retourner dans l'utérus de sa mère, comme l'a fait ce cher ami Mandant, tous ses ancêtres sont automatiquement éliminés. Sa descendance aussi, forcément.

L'impuissance coulait dans les veines de l'inspecteur.

— Parmi ceux-ci, enchaîna Dilleux, vont inévitablement se retrouver les ancêtres de votre mère ou de votre père, ce qui vous élimine automatiquement. Vous voyez comme ça accélère les choses ?

— Ce qui veut dire que si on ne s'empresse pas de déterrer tous les cadavres de Capit et même de toute la Friande, je risque de disparaître d'un moment à l'autre ?

— Vous avez tout compris !

Specteur espérait que Zelle avait tout entendu et qu'elle s'affairait déjà à faire déterrer tout ce beau monde. Il continua l'interrogatoire, afin de donner le plus d'informations possible à tous ceux qui l'écoutaient.

— Pourquoi avoir fait rajeunir Mandant ?

— Oh ça, c'est à cause de mon grimoire !

— Mais encore ?

— Eh bien, pour réussir à faire rajeunir la planète Nète au grand complet, la formule du grimoire exigeait deux vierges. Une provenant de l'an 1 avant Jésus-Christ et l'autre, contemporaine. Cependant, là où ça se compliquait, c'est que la contemporaine devait être une descendante directe de la première. Et la seule ancêtre vierge que j'aie trouvée avait bel et bien une descendante directe, mais cette descendante était morte en mettant au monde un enfant : le commandant Mandant. Il m'a donc fallu rajeunir le fils et la mère de façon à ce que Mandant puisse la réintégrer et qu'elle redevienne à nouveau pure et vierge.

Plus ce rapace parlait et plus Specteur adorait Satan.

— Ensuite, poursuivit Dilleux, le grimoire précisait que je devais faire ensemencer ma vierge par le Ceint-Tespri. Ce que je fis. Alors, tout le monde s'est mis à rajeunir. Sauf elle et moi, bien entendu, ainsi que les bébés qu'elle porte et qui vont servir à repeupler la planète Nète.

— C'est complètement ridicule ! En moins d'une génération, les humains seront redevenus les barbares qu'ils étaient, et tout ça aura été accompli pour rien.

— Ça aussi, j'y ai songé... Et pour éviter que le péché ne réapparaisse avec ces nouveaux Adam et Ève, le grimoire avait une solution. Il fallait que les vierges soient ramenées toutes les deux dans le même espace-temps et que la vierge ancestrale nourrisse le fruit du péché pendant un certain laps de temps.

— Nourrir le fruit du péché ? Qu'est-ce que c'est que cette connerie ?

Ne tenant pas vraiment à passer pour le plus cruel des bourreaux, Dilleux évita le sujet.

— Euh..., ce serait trop long à vous expliquer.

— Pourquoi ne pas m'avoir fait rajeunir moi, et moi seul ?

— Impossible... Je n'ai d'emprise sur les suppôts de Satan que dans la mesure où le processus de rajeunissement s'étend à l'échelle de la planète.

— Et Satan ? Le grand Satan ? Tu l'as oublié, tête de nœud ?

Le ricanement de Dilleux annonça la teneur de la réponse.

— Mon grimoire est formel : le mal, sa représentation et son incarnation disparaîtront à tout jamais.

Le plan était sans merci. Satan lui-même ne se doutait de rien. Ce Dilleux galeux était en position de force.

— Ces vingt-quatre heures qu'il me reste, elles correspondent à combien d'années ?

— Voyez-vous, je n'avais pas envie d'attendre neuf mois avant de voir naître mes nouveaux enfants. Alors, j'ai séparé ces mois en tranches de douze heures. À chaque demi-journée, ma future mère a donc un mois de grossesse de plus. En revanche, toutes les heures, les humains rajeunissent d'une année. Marie est enceinte depuis hier, minuit. Il est presque seize heures. Ce qui vous fait seize ans de moins, inspecteur ! Dans cent huit heures, Marie pourra accoucher en paix car tout le monde aura rajeuni de cent huit ans !

Spécteur se retint pour ne pas pleurer de rage. Dilleux

remarqua ce moment de faiblesse et en profita pour lancer la menace ultime :

— Et maintenant, ouvrez grandes vos oreilles, inspecteur : **quiconque, je dis bien quiconque réussira à faire échouer ce projet le paiera de son repos éternel.**

Que cette menace fût vraie ou non, Specteur s'en foutait. Il avait d'autres préoccupations.

— Et mon père ? Et ma mère ?

— Eh bien, votre père est sûrement déjà réveillé, en train d'agoniser dans son cercueil. Quant à votre mère, qui est morte à votre naissance si je ne m'abuse, elle se réveillera à l'an zéro de votre vie, cela va de soi. Voilà, je vous ai tout dit. Vous ne disparaîtrez pas idiot.

La matière grise de Specteur vira au rouge. Il sortit ses injures du dimanche et les chia avec délectation entre ses dents.

— Salaud... Saloperie de chien merdeux... Vomisseur de merde... Gueule intestinale... Expectoration de vache... Lécheur de godemiché... Suceur de chancre mou... Cancer du rectum...

Dilleux éclata comme un feu d'artifice dans un défilé gay :

— Je n'ai pas du tout besoin d'entendre vos insanités !!! Pas plus que je ne suis obligé de vous parler ou de tolérer votre odieuse présence !!!

Il tourna le dos à Specteur et hurla :

— UNE, DEUX, TROIS ! TROIS PERSONNES EN DILLEUX !

Une porte de métal coulissa.

— Ne vous aventurez surtout pas à me suivre ! prévint Dilleux, l'orgueil encore un peu à fleur de peau. Mon champ magnétique vous empêcherait d'entrer ! Et n'essayez pas ma petite formule magique non plus, car elle ne fonctionne que si le système reconnaît ma voix ! Adieu, inspecteur !!!

Avant que la porte ne se referme, Spec lui lança un dernier au revoir :

— VA TE FAIRE ENGROSSER PAR UN CYCLOPE, SALOPE!!!

Un «shlunkeun!» tonitruant indiqua que la porte s'était définitivement fermée. Specteur hurla:

— UNE, DEUX, TROIS! TROIS PERSONNES EN DILLEUX!

Aucune réaction.

Le silence ne tarda pas à occuper tout l'espace. Spec se retrouva complètement perdu. Son cerveau était comme verre de Pisse-Dru au soleil et son corps, fringant comme celui d'un athlète. Tout ce métal étincelant d'insignifiance lui faisait tourner la tête. Il y voyait son reflet et avait l'impression de rajeunir à vue d'œil. Quelle stratégie monstrueuse!!! Il lui fallait absolument retrouver la trace de cette Marie. Elle était la seule à pouvoir mettre un terme à ce putain de rembobinage.

Tout d'abord, Spec devait sortir de ce trou. Il espéra seulement que mademoiselle Zelle était encore à l'écoute.

— Allô Zelle! Allô! J'espère que tu m'entends. J'ai besoin que tu m'envoies une corde pour sortir d'ici!

Il répéta son message plusieurs fois puis s'arma de patience.

L'attente fut interminable. Specteur tourna en rond, en carré, en losange, en triangle… Que c'était long! Il retourna à la base de la cheminée, où il avait atterri plus tôt, afin de vérifier si une corde descendait ou non. Un petit bout de jour, tout là-haut, lui signifia que rien encore ne s'était engagé dans la cheminée.

Spec retourna inspecter sa prison. La pièce était froide, sèche, exiguë et lui donnait l'impression qu'il était enfermé dans une casserole. Peut-être existait-il, malgré tout, bordel de merde, un moyen de pratiquer une ouverture de force? La réponse fut claire. Specteur eut beau examiner le mur par où Dilleux était sorti, il n'y décela aucune fissure, aucun joint, aucun trou.

Le désespoir commençait à envahir son homme lorsqu'un violent impact métallique secoua Specteur, lui faisant frôler la syncope. C'était mademoiselle Zelle. En posant les pieds sur le plancher d'acier, les deux grandes lames avaient tranché sa corde à elle aussi. Spec la regarda d'un air niais. Qu'elle semblait jeune ! Qu'elle était belle ! !

— T'en fais une tête ! fit-elle.

Spec se ressaisit.

— Zelle ! ! ! Comment ça se passe là-haut ? Les gens rajeunissent ? C'est la panique ? A-t-on commencé à déterrer les cadavres ?

— T'en fais pas, Ré s'occupe de tout.

Spec eut alors un excès de lucidité et s'énerva :

— Et toi ? Qu'est-ce tu fais ici ? Tu devais m'envoyer une corde, c'est tout ! Juste une corde ! Pourquoi t'es descendue ? Tu te rends compte que tu es prisonnière ! Nous sommes bien avancés, maintenant !

— Regarde ! lança-t-elle fièrement en brandissant une grosse radiocassette. J'ai trouvé le moyen d'explorer le bunker et peut-être ainsi de retrouver Marie !

— Qu'est-ce tu racontes ? Tu ne crois tout de même pas que la musique va nous ouvrir la porte, nom d'une merde ! ! !

— La musique, non, mais ceci, oui !

Elle actionna la radiocassette et la voix de Dilleux résonna dans la pièce.

— *UNE, DEUX, TROIS ! TROIS PERSONNES EN DILLEUX !*

La porte coulissa illico.

— Putain ! s'exclama Specteur. Zelle, t'es géniale ! ! !

TRENTE-SEPT

Grâce aux contacts, aux pouvoirs et à l'influence du Président Zident, Ré monopolisa toutes les entreprises de télécommunications. Stations de radio, de télévision, compagnies de téléphone, serveurs Internet, satellites, tous interrompirent leurs services réguliers pour transmettre le message le plus urgent et le plus farfelu de tous les temps : « Déterrez vite tous les cadavres qui gisent dans vos cimetières avant qu'ils ne trépassent à nouveau ! ! ! » Bien entendu, la missive n'était pas formulée de cette façon, mais c'était quand même ce qu'elle voulait dire !

Dans toutes les langues, aux quatre coins[1] de la planète Nète, on entendit le message et on s'empressa de déterrer les morts sans poser de questions. Non pas que l'Homme eût soudainement perdu tout sens du jugement et qu'il exécutât les ordres les yeux fermés, mais les rajeunissements se faisaient à une vitesse telle que nul n'eut jamais l'idée de prendre ce message pour une blague. Et l'idée de pouvoir retrouver un être cher n'était pas à dédaigner non plus.

Mais la partie était loin d'être gagnée. Des centaines de milliers de cadavres étaient encore sous terre et compromettaient l'avenir, ou plutôt le présent de l'humanité. Car on faisait face à un problème de taille : celui de

1. Même si la planète Nète n'est pas carrée.

l'entonnoir. Plus on avançait dans le monde des morts, moins il y en avait, certes, mais plus ils étaient difficiles à localiser. Les monuments funéraires n'étaient pas tous dans les cimetières et bon nombre d'entre eux étaient loin d'être apparents. Certaines tombes n'avaient, pour pierre tombale, qu'une croix de bois dont les trois quarts avaient été rongés par la pourriture. D'autres ne présentaient que de petites pierres sur lesquelles les noms avaient été gravés à la main. Et il y avait, bien sûr, les tombelles et les cénotaphes.

Le curé Ré s'était particulièrement bien occupé de ses morts. Avec l'aide de tous les policiers friandais, de tous les soldats de l'armée friandaise, de tous les hommes et de toutes les femmes valides de la Friande, et bien sûr d'Adèle, on avait, jusqu'à cette heure, exhumé la moitié des cadavres du pays. De nombreux cimetières étaient jonchés de cercueils. Les couvercles étaient déverrouillés de sorte que, de temps à autre, on en voyait un se soulever, laissant apparaître un nouveau vivant, aux odeurs de terre, aux odeurs de mort.

Le retour à la vie des incinérés était aussi très spectaculaire. Lorsqu'un tel événement se produisait, on pouvait voir une série de particules poussiéreuses, volant de toutes parts, converger vers un même centre et s'embraser. Le tout s'éteignait alors peu à peu jusqu'à ce que la vie finisse par se rallumer.

Les anciens morts ne revenaient malheureusement pas tous. Certains, par exemple, demeurés ensevelis trop longtemps, avaient trépassé une deuxième fois. Ils avaient ainsi brisé leur arbre généalogique et fait disparaître près du quart de la population friandaise.

Ces disparitions étaient plutôt impressionnantes. On se serait cru au cinéma. Un homme pouvait très bien être au volant de sa bagnole, prendre un tournant et pouf ! disparaître à tout jamais. Naturellement, son auto poursuivait sa route et, avec un peu de chance, ne percutait qu'un ou deux piétons distraits.

Toute perte était douloureuse, mais jusqu'alors, les victimes n'avaient heureusement aucun lien de parenté avec l'inspecteur Specteur ou mademoiselle Zelle, les deux seules personnes à pouvoir encore sauver la planète. Mais il leur fallait faire vite.

Les heures, devenues années, coulaient en sens inverse sur la planète Nète. La jeunesse était maintenant synonyme de fin. De fin du monde.

Au-dessus de Capit, un pilote d'avion disparut. La chute libre dura trois minutes dix-sept secondes. Les sept cent vingt-sept passagers de l'appareil n'eurent pas le loisir d'applaudir après l'atterrissage.

TRENTE-HUIT

La porte avait beau être ouverte, Specteur et Zelle n'étaient pas plus avancés. Oh, le choix ne manquait pas ! Ils pouvaient, s'ils le désiraient, emprunter le corridor de droite ou celui de gauche. Il y avait aussi celui du centre. C'était une autre possibilité... Sans compter celui qui était situé entre celui de gauche et celui du centre. Ou l'autre entre celui de droite et celui du centre.

Specteur se dégoupilla :

— Des corridors..! Que des corridors ! Partout !!! Ce temple d'acier n'est rien de moins qu'un putain de labyrinthe ! Merde ! Remerde ! Surmerde ! Extramerde ! Hypermerde ! Mégamerde ! De meeeerdeeeuuuuu !!

— Allons, calme-toi Spec ! Le temps est précieux !

— Je sais, je sais... Mais on dirait que ma perspicacité s'en va à mesure que je rajeunis. *Eloquentiæ satis, spientiæ parum.*

— Je me sens tout à fait comme toi. Trop fougueuse, pas assez réfléchie...

— Dommage qu'on n'ait pas le temps de baiser...

— Ne dis pas de conneries ! Il faut se décider, prendre une direction !

— Bon, d'accord...

Spec tenta de réfléchir comme un vieux sage.

— Tu es armée ? demanda-t-il.

— Oui.

— Dans ce cas, nous devons partir chacun de notre côté.

— Entendu…

— Si tu trouves Marie, tu retires ta bague. Je saurai que tu veux que j'aille te rejoindre. N'oublie pas !

— Sois sans crainte, je n'oublierai pas. Quelle direction tu prends ?

Ce n'était pas la question la plus facile du jour.

— Optons pour la simplicité, dit Spec, comme s'il s'agissait là d'une véritable solution. *In medio stat virtus.* Je prends à droite et tu prends à gauche. D'accord ?

— D'accord.

Zelle emprunta donc le corridor central et Specteur pencha pour celui situé entre la gauche et le centre. Il attendit que sa compagne soit hors de vue et fonça vers l'inattendu.

Quarante corridors totalement identiques plus tard, Spec se demanda comment MerDilleux arrivait à se retrouver dans ces égouts chromés. Il faisait des efforts surhumains pour visualiser, à la façon des joueurs d'échec, l'orientation des corridors qu'il traversait afin de ne jamais revenir sur ses pas et, pourtant, il avait toujours l'impression de se retrouver à la case départ. Heureusement, son rajeunissement constant lui fournissait une énergie inépuisable.

Une idée avant-gardiste lui illumina la bouille. Il tira une pièce de dix friands de sa poche et la posa sur le sol, en plein milieu du corridor. De cette façon, il saurait vite s'il tournait en rond.

Spec partit d'un pas ferme et assuré. Il prit à droite, puis à gauche, encore à droite, encore à gauche, à droite de nouveau, à gauche de nouveau, à droite, à gauche, et enfin à droite et finalement à gauche. Ce type de trajet ne pouvait que l'avoir fait évoluer en diagonale. Il ne pouvait donc pas être revenu à la case départ. C'était logiquement impossible.

Il se pencha, ramassa sa pièce et repartit de plus

belle en jurant de s'acheter une boussole si jamais il sortait vivant de ce labyrinthe.

Cette fois, il se dit que, tant qu'à tourner en rond, il allait vraiment tourner en rond. Il n'effectua alors que des virages à gauche. Ainsi, au quatrième corridor, il reviendrait forcément à son point de départ. Il ne put jamais prouver sa théorie. Spec avait volontairement laissé la pièce de dix friands au fond de sa poche. C'est qu'il eût été trop honteux de ne pas la retrouver après un tour complet et eût préféré finir ses jours, à quatre pattes, comme une Etapertaquas.

Au cinquième tournant — qu'il avait, en théorie, déjà pris — une surprise l'attendait. Au sol, une large trace de sang séché s'étirait en longueur, comme si on y avait traîné un corps ensanglanté. Le sang prenait naissance au pied du mur. Il devait donc y avoir une porte ! Mais comment l'ouvrir ? Tant pis… Cette trace le mènerait sûrement quelque part. Spec la suivit donc avec joie, son .666 bien en main.

Après quelques corridors, le sang était de moins en moins visible. Specteur devait pratiquement marcher à quatre pattes pour arriver à déceler quelques taches, ici et là. Inévitablement, il finit par ne plus rien voir du tout et s'en trouva fort déprimé. Les mains dans les poches, il continua tout de même à avancer, boudeur, la tête dans les nuages. Plus il rajeunissait, plus il devenait étourdi.

Alors qu'il avait perdu tout espoir d'apercevoir quoi que ce soit, à part peut-être un mur, un plancher ou un plafond, Spec remarqua une paire de pieds, couchés au fond d'un corridor. Il s'y précipita à toutes jambes. C'était le cadavre de Soglas. Il gisait par terre dans un renfoncement du mur.

— Putain ! C'est le môme à qui j'ai arraché une oreille !

Il lui tourna la tête afin de constater les dégâts et vit que les deux appareils auditifs y étaient. « Ah la vache…, pensa-t-il. Ce gosse était de connivence avec Dilleux… »

Spec fouilla le cadavre et n'y trouva rien d'intéressant sinon une pipe et un briquet Zippo. « Qu'est-ce qu'un gosse peut bien foutre avec une pipe ? » songea-t-il. Il fourra les objets au fond de sa poche en se disant que, quand il serait grand, ce serait vachement branché de fumer la pipe.

Il continua à inspecter les environs à la recherche de nouveaux indices. Un signal extrasensoriel interrompit sa fouille. C'était mademoiselle Zelle ! Elle venait de retirer sa bague ! Avec la précision absolue d'un radar, Specteur courut directement là où le signal de la bague le guidait.

Quand il arriva, Zelle était là, tout près. Si près qu'il aurait pu la prendre dans ses bras. Si ce n'avait été de ce putain de mur d'acier.

TRENTE-NEUF

Mademoiselle Zelle avait eu plus de chance. Au lieu de tomber sur du sang, elle était tombée sur du vomi. Grossesse oblige, Marie en avait mis partout.

En suivant les flaques, mottes et autres viscosités, Zelle avait abouti directement à la pièce où Marie était détenue. Le ventre gonflé, la pauvre était ligotée sur un lit, dans un état de demi-somnolence.

Zelle n'eut pas vraiment le temps d'apprendre à la connaître puisque, deux minutes plus tard, Dilleux lui-même se pointait, en merde et en os. En apercevant l'intruse, il piqua une sainte colère à s'en faire péter les veines du cou.

— Qu'est-ce que vous faites là !!!? Comment avez-vous fait pour pénétrer jusqu'ici !!? Comment se fait-il, ô mes anges ! ô Ceint-Tespri ! ô Gézu ! que vous réussissiez toujours à vous infiltrer partout, bordel de merde !!!!

En s'entendant jurer de la sorte, Dilleux se frappa la tête une dizaine de fois contre le mur. Une fois puni, il dévisagea Zelle en écumant.

— Que lui avez-vous dit ? Que lui avez-vous fait ?

Mademoiselle Zelle garda le menton bien haut.

— Malheureusement rien, dit-elle. Je viens à peine d'arriver, si votre saloperie veut tout savoir.

— Où est l'inspecteur Specteur ?

— Vous devriez être au courant, espèce de vipère !

Après tout, c'est vous qui avez volé le cercueil de son père, non!!?

— Il a finalement disparu?

— Oui! mentit Zelle. Et pendant qu'il m'embrassait, par-dessus le marché, sale merdeux!!!

Dilleux était ravi. Désormais, plus aucune insulte ne pouvait l'atteindre.

— Ah…, soupira-t-il en étendant les bras. J'ai enfin réussi…

Il considéra Zelle avec le genre de pitié qu'on a pour un animal blessé et voulut se montrer indulgent.

— Je vais être bon avec vous… Je vais vous laisser en compagnie de cette chère Marie. Ainsi, vous pourrez avoir une dernière discussion entre femelles avant de disparaître.

Zelle n'en croyait pas ses oreilles de femme. Celui qui se prétendait le Créateur n'était qu'un vulgaire macho! Un dangereux misogyne! Le monstre enchaîna:

— Mais comme je ne vous fais absolument pas confiance, je vais tout de même prendre quelques précautions…

D'un claquement de doigts, il se débarrassa de son champ magnétique et le transféra sur Marie.

— Voilà! Vous ne pouvez lui faire aucun mal. Vous ne pourrez même pas l'approcher! Alors, au revoir et bon rajeunissement! Je vais aller, du haut de mon ciel, regarder ce monde infect s'éteindre à petit feu.

Dilleux sortit en chantonnant et l'immense porte d'acier coulissa derrière lui. Zelle ouvrit alors toute grande la main et retira sa bague.

QUARANTE

Assis par terre, adossé contre le mur, l'inspecteur Specteur n'avait plus la moindre ressource. Aucune étincelle ne lui traversait les méninges. Il y avait déjà trois heures qu'il espérait la lune. Que faire ? Comment percer le fond de ce cul-de-sac ? Il savait Zelle là, tout près, derrière ce mur, et il ignorait comment ouvrir cette saloperie de porte, si porte il y avait.

Désemparé, il se laissa aller et le marchand de sable l'enterra complètement. Les rêves se succédèrent alors comme des diapos… Il vit Fido picorer des graines… Mandant jongler avec des cercueils… Ré passer l'aspirateur sur la table… Dilleux baiser un cadavre… Madeleine lui tailler une pipe nautique… Zelle se noyer dans un lac de sang…

— ZEEEEEEEELLE !!!

En un millième de seconde, Spec était debout et donnait dans l'hyperventilation. Il se mit alors à frapper le mur à coups de pied et à coups de poing. La porte resta invisible. Le malheureux avait beau s'évertuer contre la cloison, il ne réussissait qu'à la tacher de son sang.

Exténué, il finit par s'apaiser. Tel un jeune voyou incompris, il commença à marcher de long en large, les deux mains dans les poches, grognant sa hargne, maudissant la vie.

Du bout des doigts, il tâtonna un truc qu'il avait au fond de sa poche. Qu'est-ce que c'était que ça ? N'ayant pas le goût de jouer aux devinettes, il le sortit. La pipe du gosse ! Il l'avait presque oubliée. En amateur professionnel, Spec l'examina, en vérifia la propreté et se la fourra dans la gueule. Ah, ce que ça faisait homme ! Il marchait déjà avec plus d'assurance, de sagesse. Les sourcils froncés, il se payait de grands airs de vieux monsieur sérieux. C'était un vrai rôle de composition. Dans son engouement, il se fit croire qu'il était un père de famille préoccupé, s'apprêtant à prendre une grande décision.

— Ta mère et moi avons discuté longuement..., marmonna-t-il comme s'il s'adressait à un gosse. Nous avons bien réfléchi et nous sommes d'accord. Nous croyons que tu es suffisament responsable pour disposer de la voiture une matinée par semaine afin de te rendre à tes cours de tir de mitraillette.

Bien qu'il se trouvât totalement ridicule, Spec sentit que cette petite mise en scène lui faisait le plus grand bien. Ce côté ludique, qu'il retrouvait peu à peu en rajeunissant, allégeait son cœur. Le grand inspecteur l'ignorait, mais toutes ces heures passées à dormir et à rêver l'avaient ramené à l'âge de quatorze ans.

Inconscient de ce rembobinage temporel, Spec décida de pousser son rôle de père à fond. Fort emballé à l'idée de s'allumer une bonne pipée, il garda tout de même son air de papa et sortit très lentement son Zippo. D'un coup sec et rapide, comme le font les gangsters dans les films de série « Z », il en ouvrit le couvercle et se trouva fort viril. Il étira le pouce afin de faire jaillir ces étincelles qui allaient faire de lui un homme redoutable et se heurta à une surface lisse et plate. « Qu'est-ce que c'est que cette bricole ? pensa Specteur. C'est pas un briquet ! C'est un putain de jouet ! ! »

Il cessa de penser et se mit à hurler comme un ado frustré :

— Rien qu'une saloperie de putain de jouet ! ! ! Pourquoi c'est pas du vrai feu ! ? J'ai horreur qu'on me prenne pour un enfant ! ! !

Le feu au cul, Specteur lança le briquet au bout de ses bras[1]. En heurtant le mur, le couvercle se referma, ce qui déclencha le mécanisme d'ouverture de la porte.

— Nom d'une pute de deux mètres quatre-vingts ! ! ! s'exclama Specteur. Voilà pourquoi ce n'était pas un briquet ! !

Zelle, qui s'était assoupie depuis peu, reconnut cette voix et crut un instant qu'elle rêvait. Quand elle aperçut son inspecteur à elle, là, sous ses yeux, elle lui sauta dans les bras et noua ses jambes à sa taille.

— Spec, mon chéri ! ! !

— Oh ! Hé ! Attention là ! Attends une minute ! Qu'est-ce que tu fabriques ? Mais lâche-moi !

Les lèvres de Zelle n'entendaient rien du tout. Elles embrassaient Specteur partout avec un appétit insatiable.

— Arrête, que je te dis ! ! ! Il faut s'occuper de Marie ! !

— C'est tout fait, fit Zelle entre deux séries de trente-six baisers.

— Comment, c'est tout fait ?

Zelle le laissa respirer un moment afin de lui raconter ce qui s'était passé. Elle était excitée, sautait partout et parlait à une vitesse incroyable. Specteur n'écoutait rien du tout. Au bout d'un moment, il murmura, visiblement bouleversé :

— T... T'as... T'as pas plus de douze ans... c'est sûr... Douze ans, max...

La gamine sembla outrée.

— Mais il ne m'écoute pas, ce con ! ! !

— Peut-être même onze !

— Et toi, qu'est-ce tu penses ? T'as l'air d'en avoir treize ! Tu flottes dans tes fringues ! ! ! Ton trench traîne par terre ! !

1. Enfin, un peu plus loin que le bout de ses bras, quand même.

C'était vrai ! Specteur n'avait pas remarqué, mais ses vêtements étaient maintenant beaucoup trop grands pour lui !

— Comment t'as fait, toi ? demanda-t-il en voyant que Zelle portait des trucs ajustés.

— Ben, j'avais des épingles, alors j'ai pincé partout !

Tout cela semblait irréel. Zelle n'était pas Zelle et Specteur n'était plus lui-même. Pourtant, ils étaient toujours dans le bunker à essayer de régler le même problème !

Spec essaya de retrouver une partie de son instinct d'inspecteur. Il se dirigea vers Marie.

— Il faut la tuer, non ?

— T'es sourd ou quoi ? cria Zelle. Je t'ai dit, tout à l'heure, que tout était réglé !

— Oh mais, il faut pas me prendre pour un con ! Je vois bien qu'elle n'est pas morte !

— Ah, tu ne comprends rien, Spec ! J'ai jamais dit que je l'avais tuée !

— Bon, eh bien dans ce cas, je vais le faire !

Il bondit sur Marie et se heurta le crâne contre le champ magnétique.

— Qu'est-ce tu fous !!! piailla Zelle. J'ai tout réglé ! Nous sommes sauvés, que j'te dis !!!

La tête lourde et le front ensanglanté, Spec ne comprenait plus rien.

— Comment t'as fait, s'il y avait ce putain de champ magnétique ?

— J'ai tout fait avant que Dilleux n'arrive ! Je n'ai pas eu beaucoup de temps, mais ça ne m'a pris que deux secondes !

Spec s'imspatienntaiiit[1].

— Mais qu'est-ce que t'as fait à la fin, bordel de merde !!!

Ce ton exaspéré étonna Zelle.

---

1. Moi aussi ! Voyez comment elle m'a fait écrire « impatientait » !

— Ben, je lui ai donné son bonbon…

— De quoi tu parles ?

— Eh bien, j'ai écouté la conversation que tu as eue avec Dilleux. Alors, avant de descendre dans le bunker, je suis passée à la pharmacie lui chercher un bonbon !

— Mais quel bonbon, à la fin !!!?

— Je lui ai donné une pilule abortive.

Le temps freina. C'était l'idée du siècle. En lui donnant cette pilule, elle ne laissait aucun indice, aucune trace de violence. Impossible de faire autrement, Spec devait l'admettre : mademoiselle Zelle était doublement géniale ! Il était vraiment très fier d'elle ! Mais l'inquiétude ne le quitta pas tout de suite pour autant.

— J'y pense… Si tu lui as donné une pilule abortive, comment se fait-il que nous soyons encore en train de rajeunir ?

Zelle secoua la tête en signe de découragement.

— Ce que les garçons peuvent être cons parfois !!!

— Quoi ?

— Tu crois que ces trucs-là, ça agit instantanément ? Ça met au moins huit heures à faire ses dégâts !

— Huit heures…, murmura Spec. Ça alors…

C'était au tour de Zelle de poser des questions.

— À toi, maintenant ! Comment t'as fait pour rester de ce monde si Dilleux détenait le cercueil de ton père ?

— C'est simple. Il n'y avait rien dedans ! Que du vent !

— Comment ça ?

— J'ai moi-même incinéré mon père dans un parc[1] après qu'on l'eût lâchement assassiné. Alors, si ça se trouve, ses cendres se sont réunifiées, il est revenu à la vie et est présentement en train de déterrer des cadavres !

Cette explication soulagea grandement Zelle. Elle ne tenait pas à voir Specteur disparaître sous ses yeux. Elle remarqua qu'il consultait sa montre.

1. Voir *L'Inspecteur Specteur et le doigt mort*, ou voir un ami pleurer.

— Pourquoi tu regardes l'heure?
— Il nous reste combien de temps à attendre?
— Un peu moins de deux heures, si je me fie au temps qui s'est écoulé depuis mon arrivée ici.
Spec était contrarié.
— Putain! Mais qu'est-ce qu'on va glander en attendant?
— Je crois que j'ai une petite idée...
D'un geste désinvolte, Zelle retira son chandail et l'envoya planer. Deux tout petits seins pointèrent timidement leur nez vers le désir. Jeunes et invitants, ils faisaient déjà la douce promesse de se faire femme. Devant tel tableau, Specteur ne put contenir l'ardeur de ses treize ans.
Le pantalon et la culotte de la délinquante volèrent avec la même légèreté. Spec dirigea immédiatement son regard vers le triangle d'amour de mademoiselle Zelle. Vision extraordinaire. Il était menu, un peu fuyant et entièrement glabre. Splendide. Inexploré. Un véritable joyau.
Spec se dévêtit à son tour. Mais il le fit avec un peu plus de pudeur. Quand il remarqua qu'il n'avait pas un poil non plus, il ramena ses mains sur son sexe. Zelle s'approcha et lui écarta les bras.
— Qu'est-ce tu fous? demanda Specteur, profondément intimidé.
— Laisse-moi faire...
Elle le fit coucher par terre et le força à garder les bras en croix. Sa langue croisa celle de Specteur et la trouva fort alerte. Leur salive avait goût de jouvence.
Zelle pivota sur elle-même et présenta, sans gêne aucune, son fessier à Specteur. Il n'avait jamais vu de si près les atouts d'une fille de cet âge. De son côté, Zelle n'avait jamais imaginé que le frais, le neuf, pût avoir si bon goût. Après les saletés qu'ils avaient croisées, leur union ludique et lubrique était fort rafraîchissante. Les beaux jeunets nouveaux coulaient des minutes de bonheur.

Pucelle et puceau étaient fort expérimentés pour leur jeune âge. De plus, l'excellente forme physique dont ils bénéficiaient, grâce à leur statut de jouvenceaux, leur permit d'essayer des positions qui relevaient carrément du domaine du cirque. Et, bien qu'adolescent, Specteur ne sombra pas dans la précocité. Les enfants purent donc faire joujou à souhait pendant un laps de temps très respectable qui aurait rendu jaloux bien des adultes. « Sacré Ré, pensa Spec, son rêve s'avère réel... Je baise vraiment avec une enfant... »

— *Adulescentes corpora exercent...*, susurra-t-il à sa bien-aimée.

À un certain moment, le fringant jeune homme n'arriva plus à se contrôler. Il sentait la vie qui voulait s'échapper. Il se cambra, ferma les yeux malgré lui et poussa un cri qui passa de grave à aigu. Tellement aigu qu'il en eut honte. Qu'est-ce que c'était que cette voix de fillette ? Ce cri de souris ne pouvait pas jaillir de sa gorge ! Sa gorge à lui !!! Soudain, il comprit : il venait de *démuer*. Au même moment, la pilule abortive fit son effet. Un éclair immense, éblouissant, envahit la pièce et mille sensations traversèrent Specteur simultanément. Il se sentit alors projeté dans un couloir multicolore à une vitesse indescriptible. On aurait dit qu'il voyageait dans le boyau d'un aspirateur garni de graffitis. Des sons incongrus, en marche arrière, en accéléré, au ralenti, fusaient tout autour de lui. Une lumière blanche apparut au loin et se mit à grandir rapidement. Elle fonçait, fonçait vers lui, comme le phare d'un camion en pleine nuit. Spec poussa un hurlement démoniaque et perdit connaissance. Son corps continua à voyager pendant un certain temps, puis une détonation d'une puissance phénoménale le ramena à lui-même. Il sursauta.

— Qu'est-ce que vous lisez, inspecteur ?

— Hein ?

Specteur était assis à son bureau et avait retrouvé son bon vieux corps. Un flic était planté devant lui.

— Ça va ? demanda-t-il.

— Euh... oui, oui...

— Alors ? Qu'est-ce que vous lisez ?

— Euh... hmm..., marmonna Spec qui ne savait même pas qu'il avait un livre entre les mains.

Il consulta la couverture.

— Craig et Shirley... C'est un *Bourlequin*.

— Ah...

Le flic le laissa. Il avait l'impression de déranger. Specteur le regarda s'éloigner et se sentit un peu chancelant. Ses sens lui semblaient lourds, usés, atrophiés. C'était comme s'il croupissait dans le corps d'un autre. Le fait de retrouver ce vieux corps après avoir goûté à la jeunesse y était probablement pour quelque chose.

Cette réponse ne le satisfaisait pas vraiment. Un doute le chatouillait. Tout cela était-il vraiment arrivé ? La planète Nète avait-elle vraiment subi un rajeunissement global ? Ses idées n'étaient pas très claires.

Spec voulut s'assurer qu'il n'avait pas été victime d'un simple cauchemar et que tout cela s'était réellement produit. Il courut au bureau de la secrétaire Crétaire.

— Bonjour inspecteur ! lança-t-elle joyeusement en le voyant arriver. Je vous croyais à l'extérieur !

— Est-ce que vous avez rajeuni ? demanda aussitôt Specteur qui voulait en avoir le cœur net.

Le visage de Crétaire tourna au rouge. Elle baissa les yeux.

— Oh... inspecteur... Vous... euh... C'est un très joli compliment que vous me faites là...

— Non ! Enfin, si ! Mais ce n'est pas ce que je voulais dire, je...

— J'ai très bien compris ce que vous vouliez dire et je vous en remercie... même si ça me gêne un peu...

Specteur se rendit compte que Crétaire ne saisissait pas du tout ce à quoi il faisait allusion. Il insista :

— Vous rappelez-vous la fouille ? le gosse ? l'oreille ? Vous et moi dans le placard ?

La secrétaire le fixa un moment, hébétée.

— Désolée, inspecteur, mais je ne vois pas du tout de quoi vous parlez… et pour tout vous dire, ça me gêne encore plus…

Rien à faire. Ou elle avait tout oublié, ou elle n'avait rien vécu de tout cela.

— Bon, tant pis…, dit Spec, résigné. Je ne vous dérange pas plus longtemps.

— Vous ne me dérangez jamais, inspecteur Specteur…

Il allait s'enfuir à la recherche de la vérité quand il entendit une porte s'ouvrir derrière lui.

— Specteur ! Où te sauves-tu encore, hein ! ! ? Allez ! Dans mon bureau immédiatement !

C'était Mandant ! Le commandant Mandant dans toute sa grosseur ! Il avait retrouvé son statut de pachyderme grognon. Spec ne lui laissa pas le temps de gueuler davantage et se précipita vers la sortie. Les cris du tas de suif s'atténuaient derrière lui.

Une fois dehors, il fila jusqu'à sa bagnole et fonça chez mademoiselle Zelle. En route, il dégaina son portable et téléphona chez Ré.

— *Allôôô !*

— Ré, c'est Spec !

— *Hé, Spec ! Qu'est-ce tu deviens, mon vieux ? Il y a longtemps que je n'ai pas eu de tes nouvelles ! Je commençais à me demander…*

Poup ! Spec venait de raccrocher. Inutile de discuter davantage. Ré ne se souvenait visiblement de rien. La main tremblante, Spec téléphona chez Zelle. Il dut alors apprivoiser le mot « patience ». Après huit cent vingt-deux sonneries, il balança son portable par la fenêtre. Le cœur rempli d'angoisse, il poussa l'accélérateur à fond.

Arrivé chez mademoiselle Zelle, il ne trouva pas la Renault blanche dans la cour. « Normal, se dit-il pour se rassurer, je ne la lui avais pas encore offerte. » Il frappa à la porte. Personne. Il tâta la poignée. C'était déverrouillé.

— Zelle ! cria-t-il en entrant. Zelle, tu es là ?

Il passa en revue les pièces une à une et la trouva finalement dans sa chambre, cachée sous les couvertures. Soulagé, il rigola en brandissant un doigt faussement réprobateur.

— Ma chérie, chantonna Spec, qu'est-ce que tu fais encore au lit à cette heure-ci ?

D'un coup sec, il souleva les couvertures en riant. Il retrouva vite son sérieux. Mademoiselle Zelle était nue, les yeux grands ouverts, les bras et les jambes bien écartés. Elle avait conservé son corps d'adolescente et était raide comme une sculpture de fer forgé. Sur son ventre, on avait collé un bout de papier. Spec lut :

Je vous avais prévenu ! J'avais précisé que quiconque réussirait à faire échouer ce projet le paierait de son repos éternel. Eh bien voilà, c'est fait. Mademoiselle Zelle l'a bien mérité. Elle est figée dans le temps pour toujours et ne se fatiguera plus jamais.

Dilleux Lepaire

Se savoir[1].

1. Tout finit par se savoir.